#홈스쿨링

#혼자 공부하기

똑똑한 하루 한자

#기초 한자부터 #실생활 속 한자어까지 #똑똑하게 어휘력 키우기

똑똑한 하루 한자 시리즈 구성

예비초~4단계

똑똑한 하루 한자
예비초 A
똑똑한 하루 한자
예비초 B

우리 아이 한자 학습 첫걸음

8급

1단계 A, B, C

7급 II

2단계 A, B, C

7급

3단계 A, B, C

6급 II

4단계 A, B, C

똑 똑 한
하루 한자

4주 완성 스케줄표

1단계 A

공부한 날짜를 써 봐!

1주

1일 8~17쪽	2일 18~23쪽	3일 24~29쪽	4일 30~35쪽	5일 36~41쪽
숫자 한자 一 한 일	숫자 한자 二 두 이	숫자 한자 三 석 삼	숫자 한자 四 넉 사	숫자 한자 五 다섯 오
월 일	월 일	월 일	월 일	월 일

특강 42~49쪽 월 일

힘을 내! 넌 최고야!

2주

1일 50~59쪽	2일 60~65쪽	3일 66~71쪽	4일 72~77쪽	5일 78~83쪽
숫자 한자 六 여섯 륙	숫자 한자 七 일곱 칠	숫자 한자 八 여덟 팔	숫자 한자 九 아홉 구	숫자 한자 十 열 십
월 일	월 일	월 일	월 일	월 일

특강 84~91쪽 월 일

배운 내용은 꼭꼭 복습하기!

3주

1일 92~101쪽	2일 102~107쪽	3일 108~113쪽	4일 114~119쪽	5일 120~125쪽
숫자 한자 萬 일만 만	크기 한자 大 큰 대	크기 한자 小 작을 소	크기 한자 長 긴 장	크기 한자 寸 마디 촌
월 일	월 일	월 일	월 일	월 일

특강 126~133쪽 월 일

마지막 4주 공부 중. 감동이야!

4주

1일 134~143쪽	2일 144~149쪽	3일 150~155쪽	4일 156~161쪽	5일 162~167쪽	특강 168~175쪽
방향 한자 東 동녘 동	방향 한자 西 서녘 서	방향 한자 南 남녘 남	방향 한자 北 북녘 북/달아날 배	방향 한자 中 가운데 중	
월 일	월 일	월 일	월 일	월 일	월 일

Chunjae Makes Chunjae

똑똑한 하루 한자 1단계 A

편집개발 장미영, 강혜정
디자인총괄 김희정
표지디자인 윤순미
내지디자인 박희춘, 조유정
삽화 박혜원, 이영호, 이혜승, 장현아, 정윤희, 홍선미
제작 황성진, 조규영

발행일 2021년 9월 15일 초판 2022년 9월 1일 2쇄
발행인 (주)천재교육
주소 서울시 금천구 가산로9길 54
신고번호 제2001-000018호
고객센터 1577-0902

똑 똑 한
하루 한자

1 단계 A

8급 기초1

똑똑한 하루 한자 ★ 1단계-A ★

구성과 활용 방법

한 주 미리보기

1주에는 무엇을 공부할까? ❶
1주에는 무엇을 공부할까? ❷

미리보기 활동

미리보기 만화

일일 학습

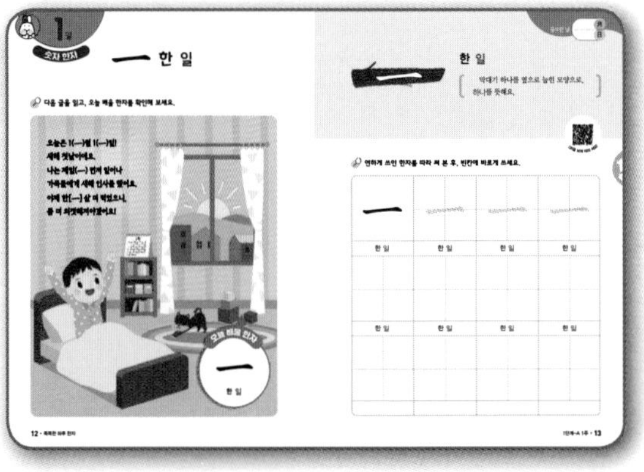
一 한 일

이야기를 읽으며
오늘 배울 한자를 만나요.

QR 코드 속 영상을 보며
한자를 따라 써요.

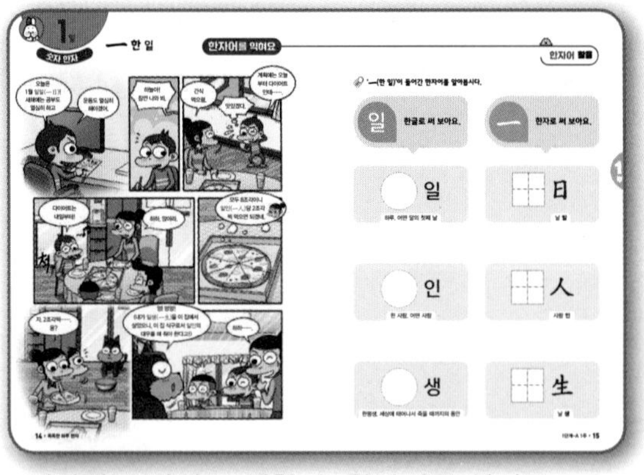
一 한 일
한자어를 익혀요

재미있는 만화로 생활 속 한자어를 익혀요.

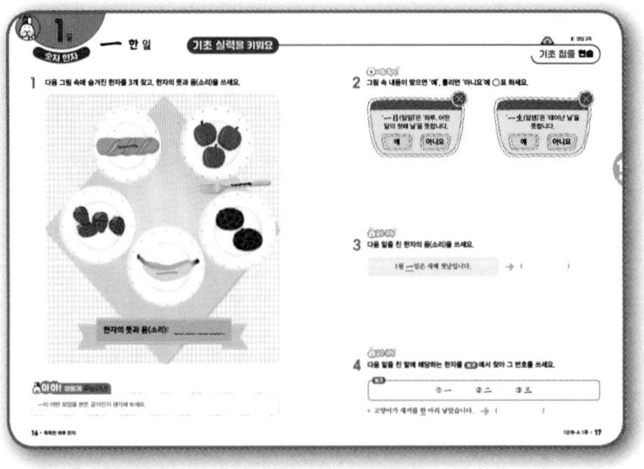
一 한 일
기초 실력을 키워요

핵심 문제로 기초 실력을 키워요.

한 주 마무리

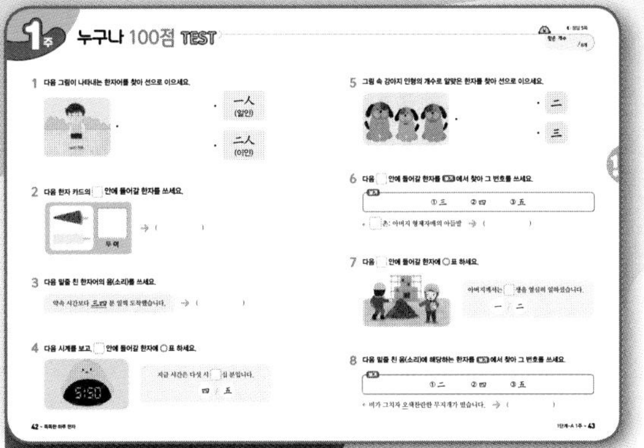

누구나 100점 TEST

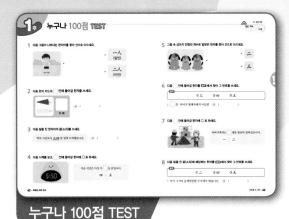

문제를 풀며 한 주 동안
배운 내용을 확인해요.

특강

생각을 키워요

창의・융합・코딩 문제로
재미는 솔솔, 사고력은 쑥쑥!

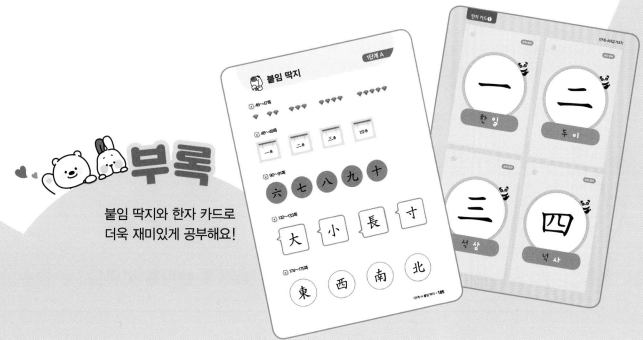

부록

붙임 딱지와 한자 카드로
더욱 재미있게 공부해요!

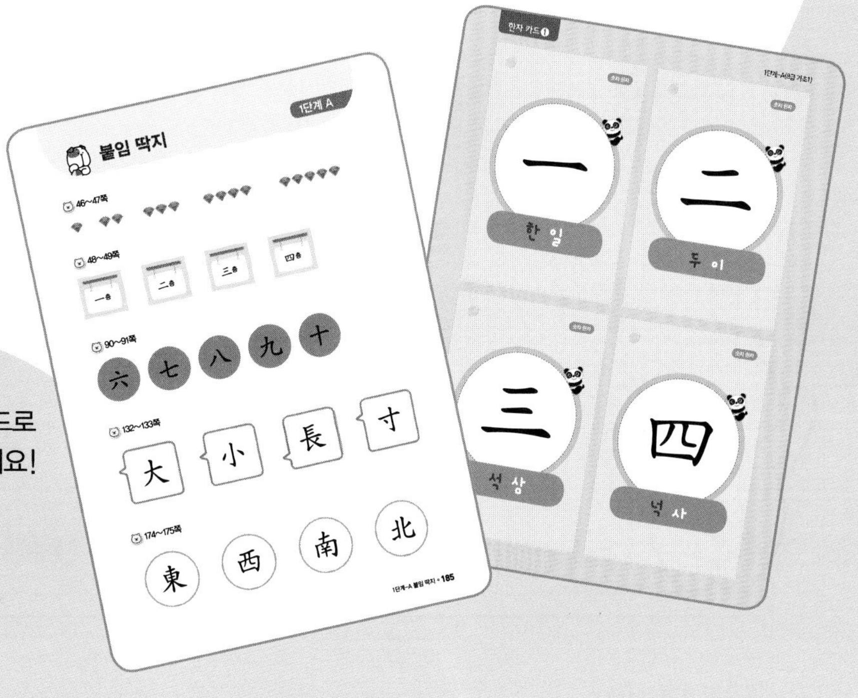

붙임 딱지
1단계 A
한자 카드 1
一
한 일
二
두 이
三
석 삼
四
넉 사
六 七 八 九 十
大 小 長 寸
東 西 南 北

똑똑한 하루 한자

공부할 내용

1주 숫자 한자

2주 숫자 한자

3주
숫자/크기 한자

4주
방향 한자

8급 배정 한자 총 50자

□은 1단계-A 학습 한자입니다.

教	校	九	國	軍
가르칠 교	학교 교	아홉 구	나라 국	군사 군
金	南	女	年	大
쇠 금 / 성 김	남녘 남	여자 녀	해 년	큰 대
東	六	萬	母	木
동녘 동	여섯 륙	일만 만	어머니 모	나무 목
門	民	白	父	北
문 문	백성 민	흰 백	아버지 부	북녘 북 / 달아날 배
四	山	三	生	西
넉 사	메 산	석 삼	날 생	서녘 서
先	小	水	室	十
먼저 선	작을 소	물 수	집 실	열 십
五	王	外	月	二
다섯 오	임금 왕	바깥 외	달 월	두 이
人	一	日	長	弟
사람 인	한 일	날 일	긴 장	아우 제
中	青	寸	七	土
가운데 중	푸를 청	마디 촌	일곱 칠	흙 토
八	學	韓	兄	火
여덟 팔	배울 학	한국 / 나라 한	형 형	불 화

함께 공부할 친구들

주 미리보기 에서 만나요!

한자가 궁금해!
호기심 대장 바름

한자를 색칠해 봐!
마법 판다 팬돌이

본문 에서 만나요!

명랑하고 호기심
많은 친구 하늘

똑똑하고 다정다감한
친구 바다

1주 1주에는 무엇을 공부할까? ①

이제 나도 초등학생이다!
1학년 3반은 어디 있지?
1학년 교실
三반
四반
五반
一반
二반
어, 한자로 되어 있어
알 수가 없네.
3반은 어디에 있는 걸까?
한자를 색칠해 봐!

이번 주에는 어떤 한자를 공부할까?

- 1일 一 한 일
- 2일 二 두 이
- 3일 三 석 삼
- 4일 四 넉 사
- 5일 五 다섯 오

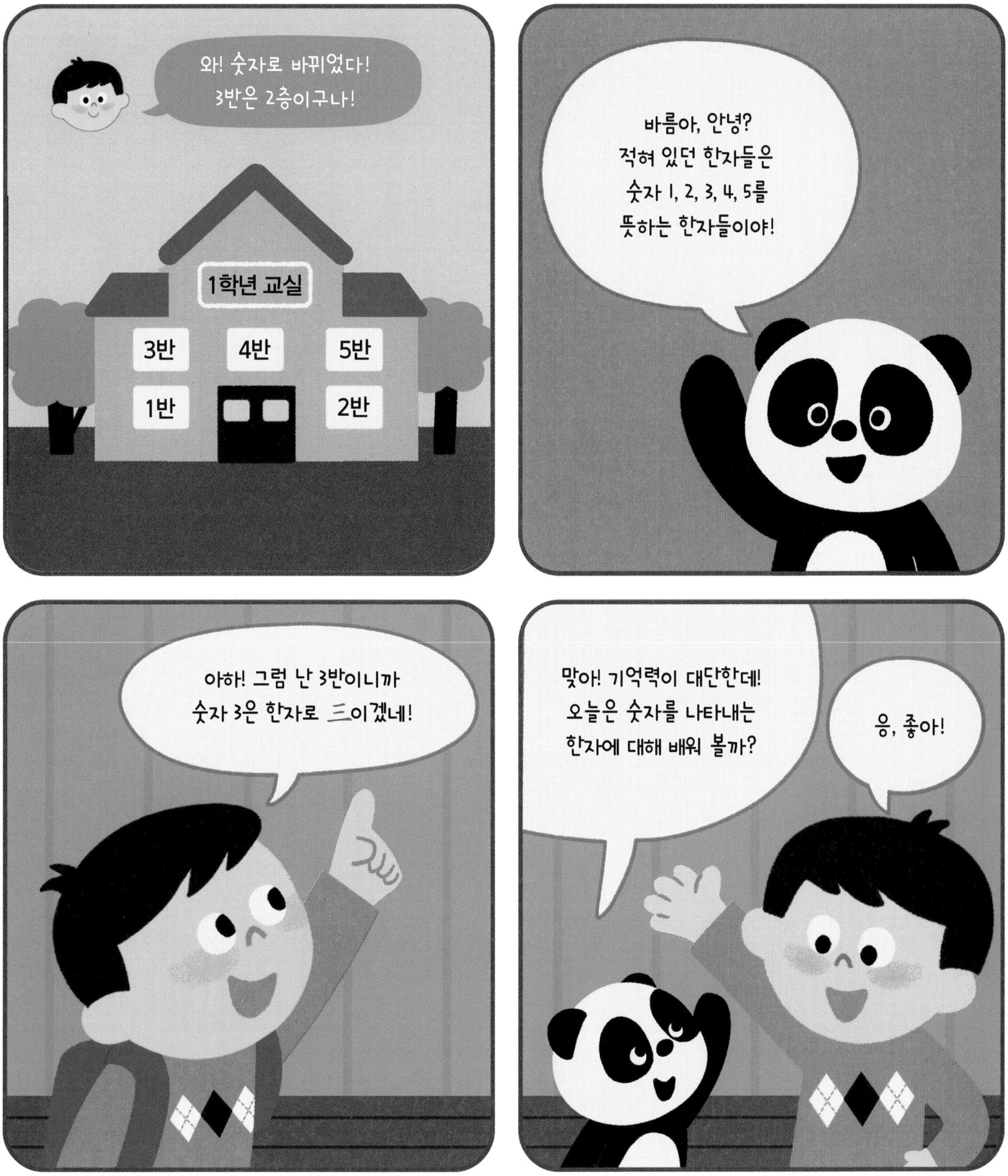

와! 숫자로 바뀌었다! 3반은 2층이구나!
1학년 교실
3반
4반
5반
1반
2반
바름아, 안녕? 적혀 있던 한자들은 숫자 1, 2, 3, 4, 5를 뜻하는 한자들이야!
아하! 그럼 난 3반이니까 숫자 3은 한자로 三이겠네!
맞아! 기억력이 대단한데! 오늘은 숫자를 나타내는 한자에 대해 배워 볼까?
응, 좋아!

1주

1주에는 무엇을 공부할까? ②

✪ 이번 주에 배울 한자들이 그림 속에 숨어 있어요. 보기를 참고해서 한자를 찾아보세요.

보기

一 한 일　二 두 이　三 석 삼　四 넉 사　五 다섯 오

一 학년 3반
二
덧셈
O+O=OO
1 1 2
三

솜 씨 자 랑
五
수학
수학
수학
수학
四

1일

숫자 한자

一 한 일

다음 글을 읽고, 오늘 배울 한자를 확인해 보세요.

오늘은 1(一)월 1(一)일!
새해 첫날이에요.
나는 제일(一) 먼저 일어나
가족들에게 새해 인사를 했어요.
이제 한[一] 살 더 먹었으니,
좀 더 의젓해져야겠어요!

1月
오늘 배울 한자
一
한 일

공부한 날 月 日

한 일

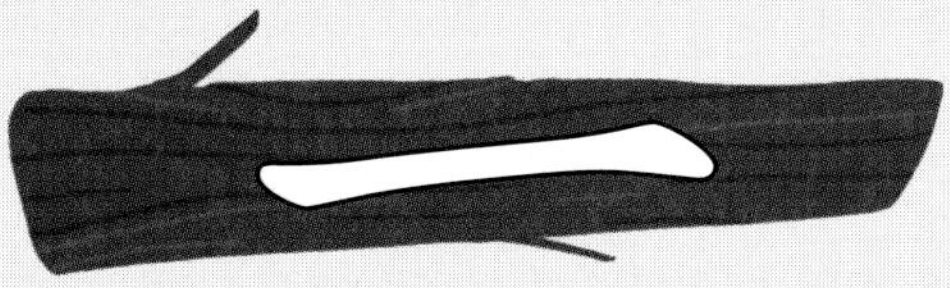

막대기 하나를 옆으로 눕힌 모양으로, 하나를 뜻해요.

QR을 보며 따라 써요!

1주

연하게 쓰인 한자를 따라 써 본 후, 빈칸에 바르게 쓰세요.

一	一	一	一
한 일	한 일	한 일	한 일
한 일	한 일	한 일	한 일

1일

숫자 한자

一 한 일

한자어를 익혀요

오늘은 1월 일일(一日)! 새해에는 공부도 열심히 하고
운동도 열심히 해야겠어.
계획표
하늘아! 잠깐 나와 봐.
간식 먹으렴.
계획에는 오늘부터 다이어트인데…….
맛있겠다.
다이어트는 내일부터!
하하, 앉아라.
척
모두 8조각이니 일인(一人)당 2조각씩 먹으면 되겠네.
자, 2조각씩……. 응?
멍! 멍멍! (내가 일생(一生)을 이 집에서 살았으니, 이 집 식구로서 일인의 대우를 해 줘야 한다고!)
하하…….

'一(한 일)'이 들어간 한자어를 알아봅시다.

일 한글로 써 보아요.	一 한자로 써 보아요.
일	日
하루. 어떤 달의 첫째 날	날 **일**
인	人
한 사람. 어떤 사람	사람 **인**
생	生
한평생. 세상에 태어나서 죽을 때까지의 동안	날 **생**

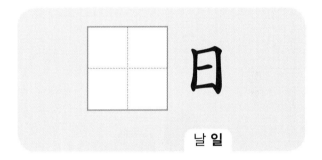

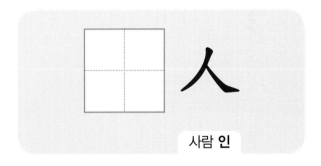

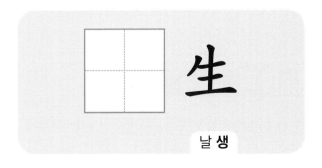

1일

숫자 한자

一 한 일

기초 실력을 키워요

1 다음 그림 속에 숨겨진 한자를 3개 찾고, 한자의 뜻과 음(소리)을 쓰세요.

한자의 뜻과 음(소리):

아하! 이렇게 푸는구나!

一이 어떤 모양을 본뜬 글자인지 생각해 보세요.

◐ 정답 2쪽

어휘 확인

2 그림 속 내용이 맞으면 '예', 틀리면 '아니요'에 ○표 하세요.

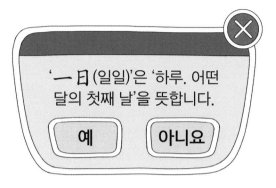

'一日(일일)'은 '하루. 어떤 달의 첫째 날'을 뜻합니다.

예 아니요

'一生(일생)'은 '태어난 날'을 뜻합니다.

예 아니요

급수 유형

3 다음 밑줄 친 한자의 음(소리)을 쓰세요.

1월 <u>一</u>일은 새해 첫날입니다. → (   )

급수 유형

4 다음 밑줄 친 말에 해당하는 한자를 보기 에서 찾아 그 번호를 쓰세요.

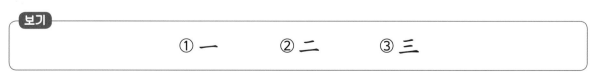

보기

① 一　　② 二　　③ 三

- 고양이가 새끼를 <u>한</u> 마리 낳았습니다. → (   )

2일

숫자 한자

二 두 이

다음 글을 읽고, 오늘 배울 한자를 확인해 보세요.

우리 가족은 2(二)월에 이사를 했어요.
작은 마당이 있는 이(二)층집이에요.
1층에 방이 한 개 있고,
2(二)층에 방이 두[二] 개 있어요.
새로 이사 온 집에서 가족들과
행복하게 지내고 싶어요.

오늘 배울 한자

二

두 이

공부한 날 月 日

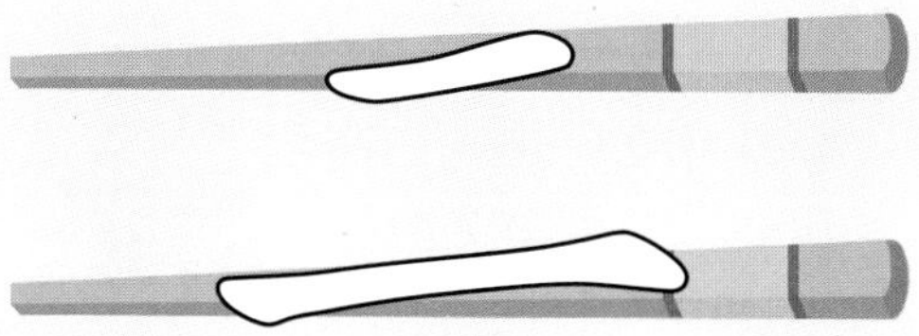

二 두 이

막대기 두 개를 옆으로 눕힌 모양으로, 둘을 뜻해요.

QR을 보며 따라 써요!

1주

연하게 쓰인 한자를 따라 써 본 후, 빈칸에 바르게 쓰세요.

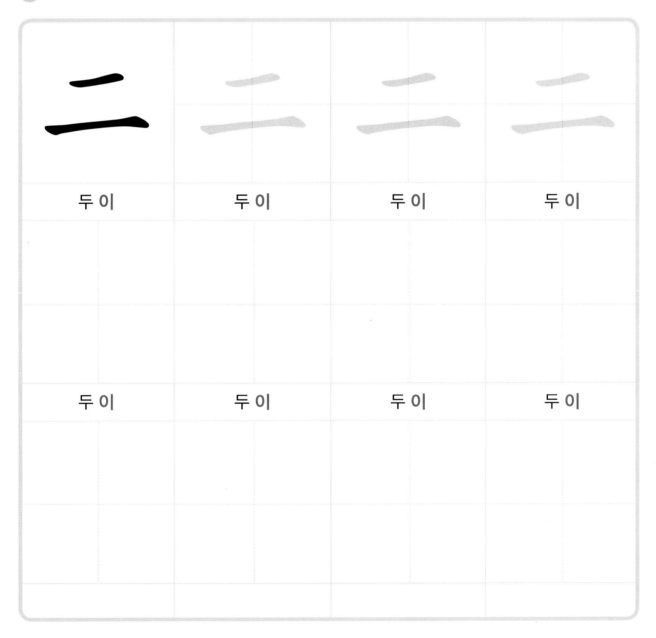

二	二	二	二
두 이	두 이	두 이	두 이
두 이	두 이	두 이	두 이

二 두 이

안녕하세요? 오늘은 우리 가족을 소개할게요.
우리 가족은 이월(二月) 이일(二日)에 이 집으로 이사했어요. 참 예쁜 집이죠?
집 안으로 들어가 보겠습니다. 귀여운 동생이 있네요. 동생을 인터뷰해 보겠습니다.
자기 소개 부탁해요.
제 이름은 별이고, 다섯 살입니다!
척
이월 이십(二十)일이 생일이죠? 생일 축하합니다. 생일 선물로 뭘 갖고 싶죠? 이 언니가 선물해 줄게요.
음…….
그거요!
헉! 내 스마트폰을?!

'二(두 이)'가 들어간 한자어를 알아봅시다.

이 한글로 써 보아요.

二 한자로 써 보아요.

월

2월. 한 해 열두 달 가운데 둘째 달

月

달 **월**

일

이틀. 어떤 달의 둘째 날

日

날 **일**

십

20. 10을 두 번 더한 수

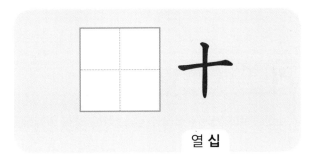

十

열 **십**

二 두 이

기초 실력을 키워요

1 다음 한자의 뜻과 음(소리)으로 알맞은 것을 찾아 선으로 이으세요.

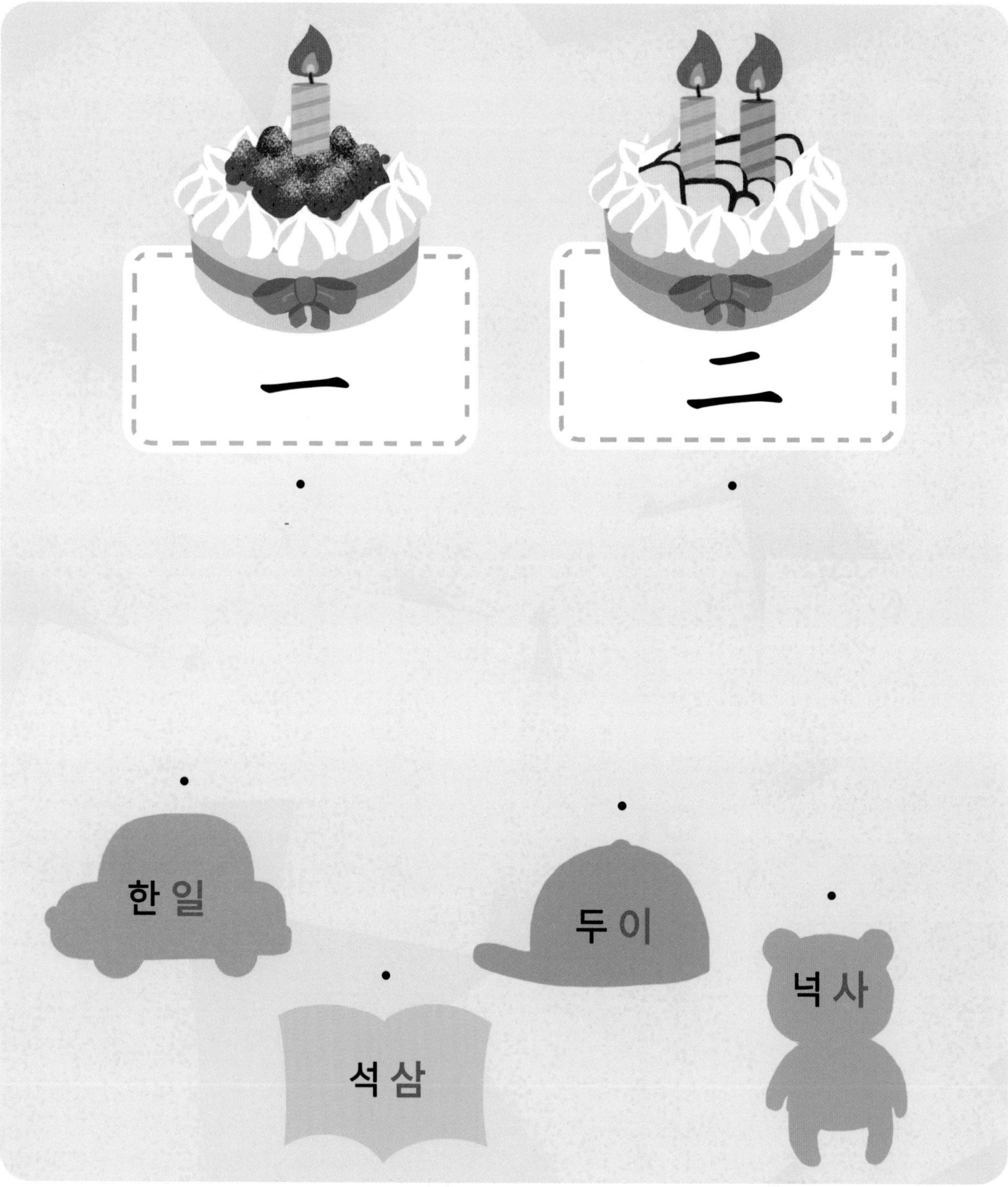
一
二
한 일
두 이
석 삼
넉 사

아하! 이렇게 푸는구나!

二는 막대 '두 개'를 옆으로 눕힌 모양의 한자예요.

어휘 확인

2 ◌에 알맞은 글자를 넣어 낱말을 만드세요.

2020년
2020년
2월

2월. 한 해 열두 달 가운데 둘째 달

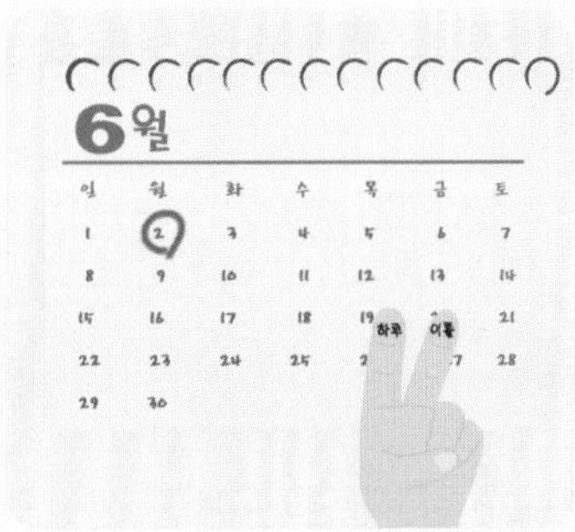
6월

이틀. 어떤 달의 둘째 날

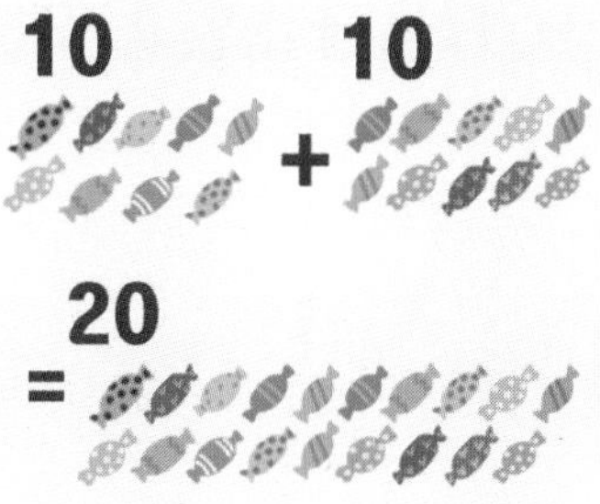
10
10
+
20
=

20. 10을 두 번 더한 수

◌ 월   ◌ 일   ◌◌

급수 유형

3 다음 밑줄 친 한자의 음(소리)을 쓰세요.

<u>二</u>월에 가족들과 여행을 갑니다. → (   )

급수 유형

4 다음 뜻에 알맞은 한자를 보기 에서 찾아 그 번호를 쓰세요.

보기

① 一   ② 二   ③ 三

• 둘 → (   )

3일

숫자 한자

三 석 삼

다음 글을 읽고, 오늘 배울 한자를 확인해 보세요.

오늘 배울 한자
三
석 삼

봄이 시작되는 3(三)월, 초등학교에 입학했어요.
나는 1학년 3(三)반이 되었고,
친한 친구가 세[三] 명 생겼어요.
학교 가는 길에 보니 새싹이 돋아나고
꽃봉오리가 맺혔어요.
꽃이 피면 친구들과 꽃구경을 갈 거예요.

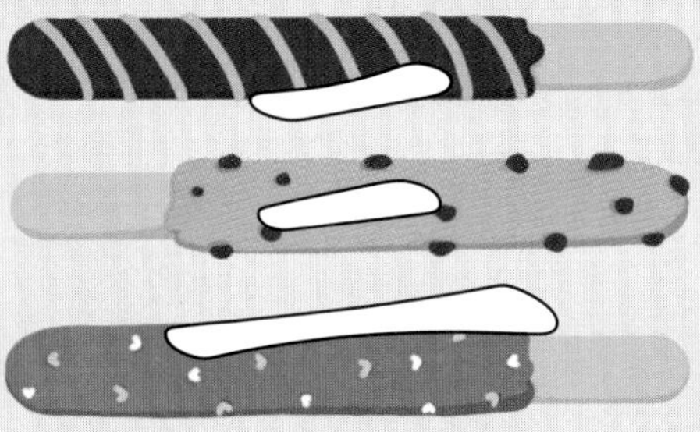

三 석 삼

막대기 세 개를 옆으로 눕힌 모양으로, 셋을 뜻해요.

QR을 보며 따라 써요!

연하게 쓰인 한자를 따라 써 본 후, 빈칸에 바르게 쓰세요.

三	三	三	三
석 삼	석 삼	석 삼	석 삼
석 삼	석 삼	석 삼	석 삼

3일 숫자 한자

三 석 삼

한자어를 익혀요

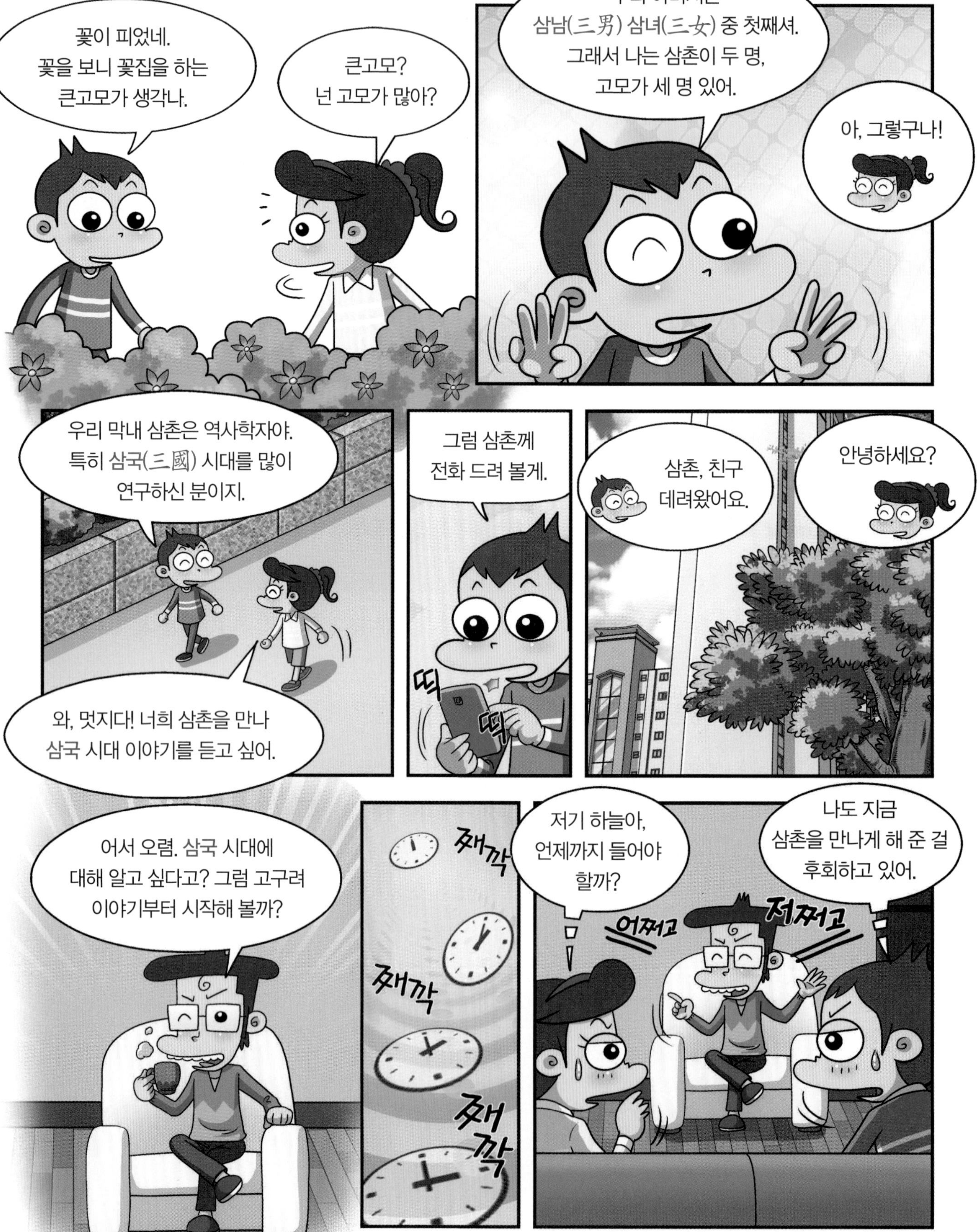

꽃이 피었네. 꽃을 보니 꽃집을 하는 큰고모가 생각나.
큰고모? 넌 고모가 많아?
우리 아버지는 삼남(三男) 삼녀(三女) 중 첫째셔. 그래서 나는 삼촌이 두 명, 고모가 세 명 있어.
아, 그렇구나!
우리 막내 삼촌은 역사학자야. 특히 삼국(三國) 시대를 많이 연구하신 분이지.
와, 멋지다! 너희 삼촌을 만나 삼국 시대 이야기를 듣고 싶어.
그럼 삼촌께 전화 드려 볼게.
띡
띡
삼촌, 친구 데려왔어요.
안녕하세요?
어서 오렴. 삼국 시대에 대해 알고 싶다고? 그럼 고구려 이야기부터 시작해 볼까?
째깍
째깍
째깍
저기 하늘아, 언제까지 들어야 할까?
나도 지금 삼촌을 만나게 해 준 걸 후회하고 있어.
어쩌고
저쩌고

'三(석 삼)'이 들어간 한자어를 알아봅시다.

삼 한글로 써 보아요.

三 한자로 써 보아요.

남

셋째 아들. 세 아들

男

사내 **남**

녀

셋째 딸. 세 딸

女

여자 **녀**

국

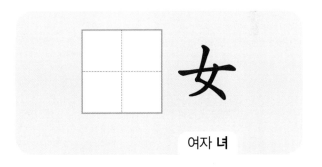

세 나라. 고구려, 백제, 신라를 함께 이르는 말

國

나라 **국**

三 석 삼

기초 실력을 키워요

1 그림 속 꽃의 개수를 한자로 바르게 나타낸 것에 ○표 하세요.

三
三
二
二
三

아하! 이렇게 푸는구나!

三은 막대기 '세 개'를 옆으로 눕힌 모양의 한자예요.

어휘 확인

2 다음 뜻에 해당하는 낱말을 찾아 선으로 이으세요.

셋째 딸. 세 딸 •	• 삼남
세 나라. 고구려, 백제, 신라를 함께 이르는 말 •	• 삼녀
셋째 아들. 세 아들 •	• 삼국

급수 유형

3 다음 밑줄 친 말에 해당하는 한자를 보기 에서 찾아 그 번호를 쓰세요.

보기
① 一 ② 二 ③ 三

- 이번 주에 책을 세 권 읽었습니다. → (   )

급수 유형

4 다음 한자의 음(소리)을 보기 에서 찾아 그 번호를 쓰세요.

보기
① 이 ② 삼 ③ 사

- 三 → (   )

四 넉 사

다음 글을 읽고, 오늘 배울 한자를 확인해 보세요.

포근한 4(四)월이에요.
오늘은 사(四)촌 언니와 오빠,
내 동생과 함께 공원에서 산책을 했어요.
사(四)방에 흩날리는 벚꽃이
우리 네[四] 명에게 반갑다고
인사하는 것 같았어요.
오늘 배울 한자
四
넉 사

공부한 날 月 日

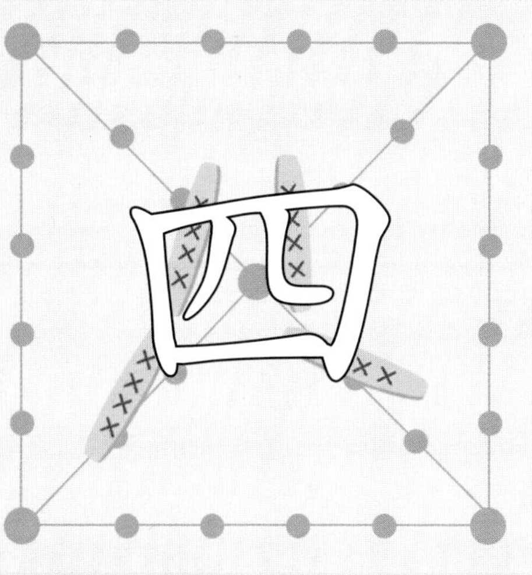

四 넉 사

[넷이라는 뜻이에요. 처음에는 막대기 네 개를 눕힌 모양이었어요.]

QR을 보며 따라 써요!

1 주

연하게 쓰인 한자를 따라 써 본 후, 빈칸에 바르게 쓰세요.

四	四	四	四
넉 사	넉 사	넉 사	넉 사
넉 사	넉 사	넉 사	넉 사

4일 숫자 한자

四 넉 사

한자어를 익혀요

삼사(三四) 주 후에 우리 큰아버지 딸인 사촌(四寸) 언니 결혼식이 있어.
우리 아빠는 형제자매가 많아서 나는 사촌이 열 명이 넘어.
그렇구나.
나도 사촌이 많아. 그래서 명절마다 할아버지 댁은 사람들로 북적거리지.
맞아. 하하!
사촌 언니 결혼식, 정말 기대된다.
그럴 것 같아. 오랜만에 반가운 친척들이 사방(四方)에서 모일 테니…….
그것보다 결혼식 뷔페에 가면 사방에 맛있는 음식이 가득하잖아. 그거 먹을 생각에 너무 기대돼.

'四(넉 사)'가 들어간 한자어를 알아봅시다.

사 한글로 써 보아요.

四 한자로 써 보아요.

삼 ◯
셋이나 넷

三 □
석 **삼**

◯ 촌
아버지 형제자매의 아들딸

□ 寸
마디 **촌**

◯ 방
동, 서, 남, 북의 네 방향

□ 方
모 **방**

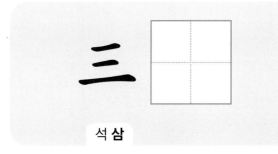

四 넉 사

기초 실력을 키워요

1 다음 문제의 답에 해당하는 한자를 그림 속에서 찾아 ○표 하세요.

2 + 2 = ?
一
二
三
四

아하! 이렇게 푸는구나!

이 한자는 처음에는 막대기 네 개를 눕힌 모양이었어요.

어휘 확인

2 다음에서 '아버지 형제자매의 아들딸'을 뜻하는 낱말을 찾아 ○표 하세요.

삼촌
사촌
오촌

급수 유형

3 다음 밑줄 친 한자의 음(소리)을 쓰세요.

<u>四</u>방에 꽃이 피었습니다. → (　　　　　　)

급수 유형

4 다음 한자의 뜻을 보기 에서 찾아 그 번호를 쓰세요.

보기

① 둘　　② 셋　　③ 넷

• 四 → (　　　　　　)

5일

숫자 한자

五 다섯 오

다음 글을 읽고, 오늘 배울 한자를 확인해 보세요.

오늘 배울 한자
五
다섯 오

5(五)월 5(五)일 어린이날에 우리 가족은 놀이동산에 갔어요. 나는 롤러코스터를 다섯[五] 번이나 탔어요. 신나게 놀이 기구를 타고 나니 어느덧 집에 갈 시간이 되었어요. 너무 아쉬웠어요. 매일 어린이날이면 좋겠어요.

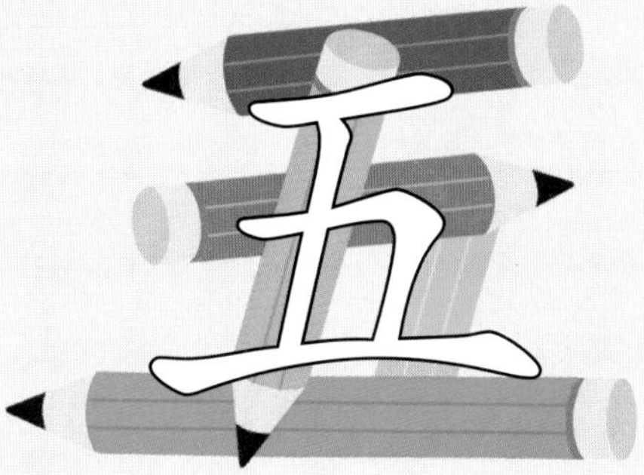

다섯 오

막대기를 엇갈려 놓아 **다섯**이라는 뜻을 나타내었어요.

QR을 보며 따라 써요!

연하게 쓰인 한자를 따라 써 본 후, 빈칸에 바르게 쓰세요.

五	五	五	五
다섯 오	다섯 오	다섯 오	다섯 오
다섯 오	다섯 오	다섯 오	다섯 오

五 다섯 오

한자어를 익혀요

하늘아, 어린이날에 뭐했니?
난 놀이동산에 다녀왔어.
롤러코스터 줄이 길어서 오십(五十) 분은 기다려서 탄 것 같아.
와! 좋았겠다.
그래도 오십 분을 기다린 게 아깝지 않을 만큼 정말 재미있었어.
그랬구나.
콰
콰
콰
콰
난 오륙(五六) 년 동안 어린이날만 되면 놀이동산에 갔어. 그래서 이번에는 꽃 박람회에 다녀왔어.
오, 꽃 박람회!
그곳은 활짝 핀 오색(五色) 꽃들로 가득했어. 정말 예뻤어.
너만큼 예쁠까?
어, 뭐라고?
아, 아냐. 하하!
타타탁
발그레

'五(다섯 오)'가 들어간 한자어를 알아봅시다.

오 한글로 써 보아요.

五 한자로 써 보아요.

( ) 십

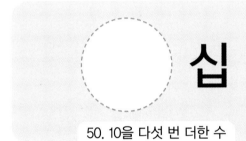

50. 10을 다섯 번 더한 수

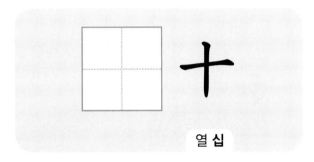

十

열 **십**

( ) 륙

다섯이나 여섯

六

여섯 **륙**

( ) 색

다섯 가지 색. 다양한 색

色

빛 **색**

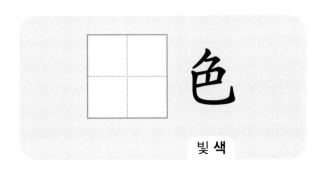

五 다섯 오

기초 실력을 키워요

1 그림 속 뜻과 음(소리)에 알맞은 한자를 보기 에서 찾아 그 번호를 쓰세요.

보기
① 三 ② 四 ③ 五

넉 사
(　　)
다섯 오
(　　)

아하! 이렇게 푸는구나!

'다섯 오'는 막대기를 서로 엇갈려 놓아 그 뜻을 나타낸 글자예요.

기초 집중 연습

어휘 확인

2 다음 뜻에 해당하는 낱말을 찾아 선으로 이으세요.

50.
10을 다섯 번
더한 수

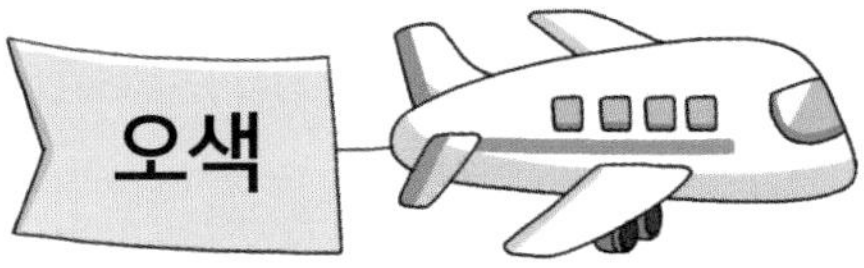
오색

다섯 가지 색.
다양한 색

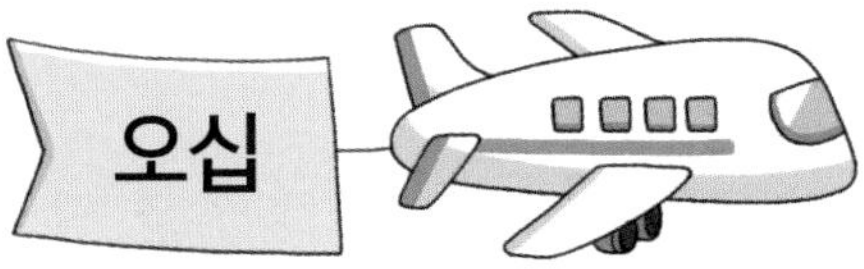
오십

급수 유형

3 다음 밑줄 친 말에 해당하는 한자를 보기 에서 찾아 그 번호를 쓰세요.

보기

① 三　　② 四　　③ 五

- 농구는 한 팀이 <u>다섯</u> 명으로 이루어집니다. → (　　　　　)

급수 유형

4 다음 한자의 음(소리)을 보기 에서 찾아 그 번호를 쓰세요.

보기

① 사　　② 오　　③ 륙

- 五 → (　　　　　)

1주 누구나 100점 TEST

1 다음 그림이 나타내는 한자어를 찾아 선으로 이으세요.

• 一人 (일인)

• 二人 (이인)

2 다음 한자 카드의 ☐ 안에 들어갈 한자를 쓰세요.

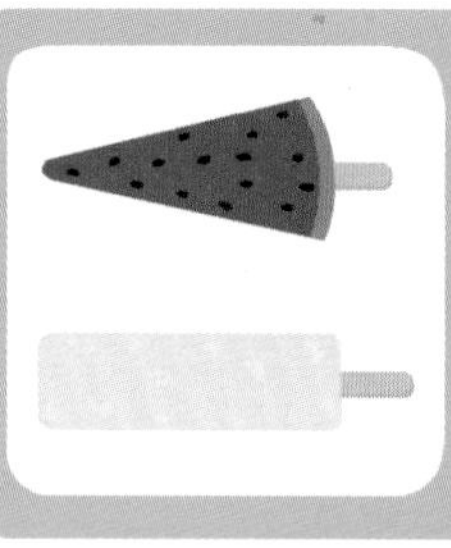

☐ 두 이 → (　　　　　　)

3 다음 밑줄 친 한자어의 음(소리)를 쓰세요.

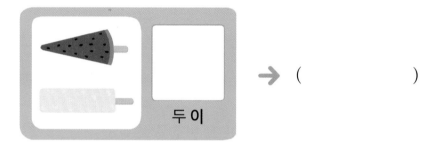

약속 시간보다 <u>三四</u> 분 일찍 도착했습니다. → (　　　　　　)

4 다음 시계를 보고, ☐ 안에 들어갈 한자에 ○표 하세요.

5:50

지금 시간은 다섯 시 ☐ 십 분입니다.

四 / 五

5 그림 속 강아지 인형의 개수로 알맞은 한자를 찾아 선으로 이으세요.

- 二
- 三

6 다음 □ 안에 들어갈 한자를 보기 에서 찾아 그 번호를 쓰세요.

보기
① 三　② 四　③ 五

- □촌: 아버지 형제자매의 아들딸 → (　　　　)

7 다음 □ 안에 들어갈 한자에 ○표 하세요.

아버지께서는 □생을 열심히 일하셨습니다.

一 / 二

8 다음 밑줄 친 음(소리)에 해당하는 한자를 보기 에서 찾아 그 번호를 쓰세요.

보기
① 二　② 四　③ 五

- 비가 그치자 <u>오</u>색찬란한 무지개가 떴습니다. → (　　　　)

창의·융합·코딩

1주 특강 생각을 키워요 1

국어+한문 다음 만화를 읽고, 성어의 뜻을 생각해 보세요.

三 三 五 五

석 삼 　석 삼 　다섯 오 　다섯 오

여러분, 오늘은 동물원에 체험 학습을 왔어요. 재미있게 구경하세요!
안전에 유의하고, 혼자 다니지 말고 삼삼오오 모여 다니도록 해요.
네! 알겠습니다.
난 호랑이를 보고 싶어.
난 원숭이!
정말 기대된다!
우아!

얘네들이 밥 먹는 걸
보니 배가 고파지네.
냠
나도
배가 고파.
이제
점심시간이야!
꼬르륵
얘들아,
우리 도시락 먹자!
그래!
△△ 동물원
이렇게 삼삼오오
짝을 이루어 먹으니 더욱
맛있는 거 같아!
맞아!
냠
냠

◆ 성어의 뜻을 살펴보며 빈칸에 알맞은 한자를 채우세요.

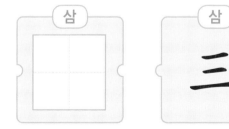

삼	삼	오	오
□	三	□	五

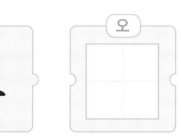

→ '서너 사람 또는 대여섯 사람'이라는 뜻으로, 서너 사람 또는 대여섯 사람이 떼를 지어 다니는 모양 또는 여기저기 몇몇씩 흩어져 있는 모양을 이르는 말

생각을 키워요 ②

코딩+한문 명령어에 따라 이동하여 획득한 보물 수만큼 해당 칸에 보물 붙임 딱지를 붙이고, 총 몇 개의 보물을 획득하였는지 적어 보세요. 붙임 딱지 185쪽

명령어

1. 시작하기
2. '출발' 칸에서 오른쪽으로 4칸 이동하여 보물을 二개 얻습니다.
3. 아래쪽으로 1칸 이동하여 보물을 一개 얻습니다.
4. 왼쪽으로 2칸 이동하여 보물을 三개 얻습니다.
5. 아래칸으로 3칸 이동하여 보물을 五개 얻습니다.
6. 왼쪽으로 1칸, 아래쪽으로 2칸 이동하여 보물을 四개 얻습니다.
7. 오른쪽으로 3칸 이동하여 '도착' 칸에 이릅니다.
8. '도착' 칸에 획득한 보물이 모두 몇 개인지 적습니다.
9. 종료하기

◐ 정답 6쪽

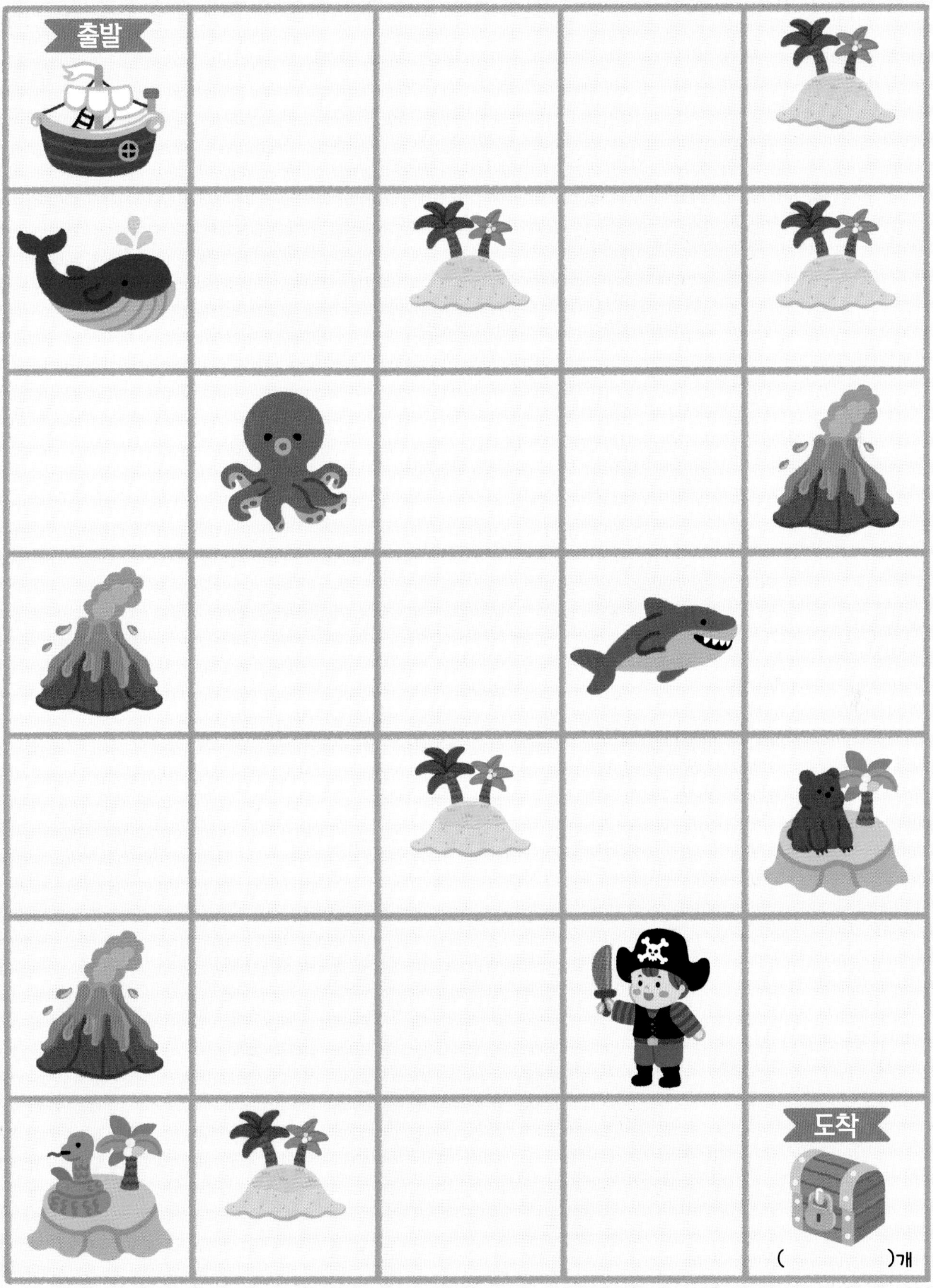
출발
도착
(　　　　)개

생각을 키워요 ③

창의·융합·코딩

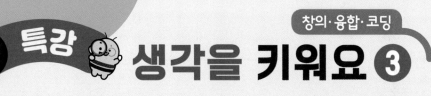

사회+수학+한문 다음 그림은 하늘이네 학교의 모습입니다. 그림을 보고, 물음에 답해 보세요.

층
2학년 三반
2학년 四반
과학실
층
2학년 一반
2학년 二반
음악실
층
1학년 二반
1학년 三반
1학년 四반
층
1학년 一반
급식실

◐ 정답 6쪽

1 학교 건물의 층수에 알맞은 한자 붙임 딱지를 붙이세요. 붙임 딱지 185쪽

2 다음 두 친구의 대화에서 □에 알맞은 숫자를 쓰세요.

은하야, 너 몇 반이 됐지?

난 1학년 □반이야. 一층에 있어.

난 1학년 3반이야. □층에 있어.

음악실은 어디야?

□층 2학년 □반 옆에 있어.

그렇구나. 과학실은 □층 2학년 □반 옆에 있더라고.

3 다음 학생이 내는 퀴즈의 정답으로 알맞은 수를 한자로 쓰세요.

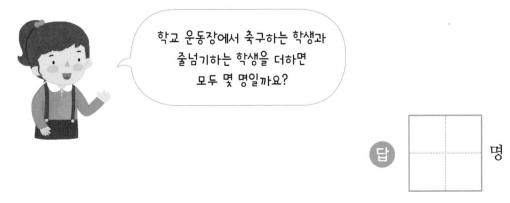

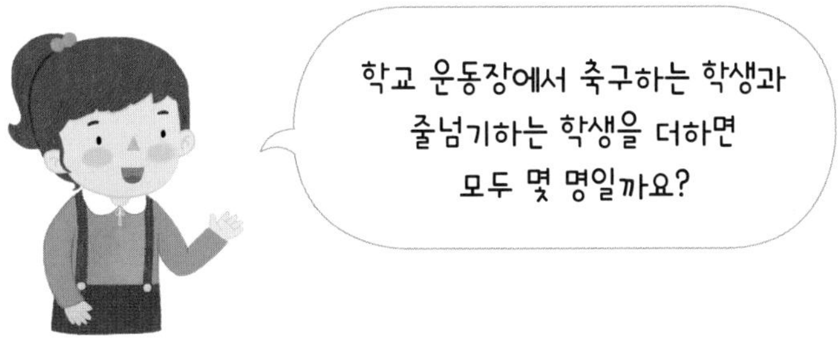
학교 운동장에서 축구하는 학생과
줄넘기하는 학생을 더하면
모두 몇 명일까요?

답 □ 명

2주

2주에는 무엇을 공부할까? ①

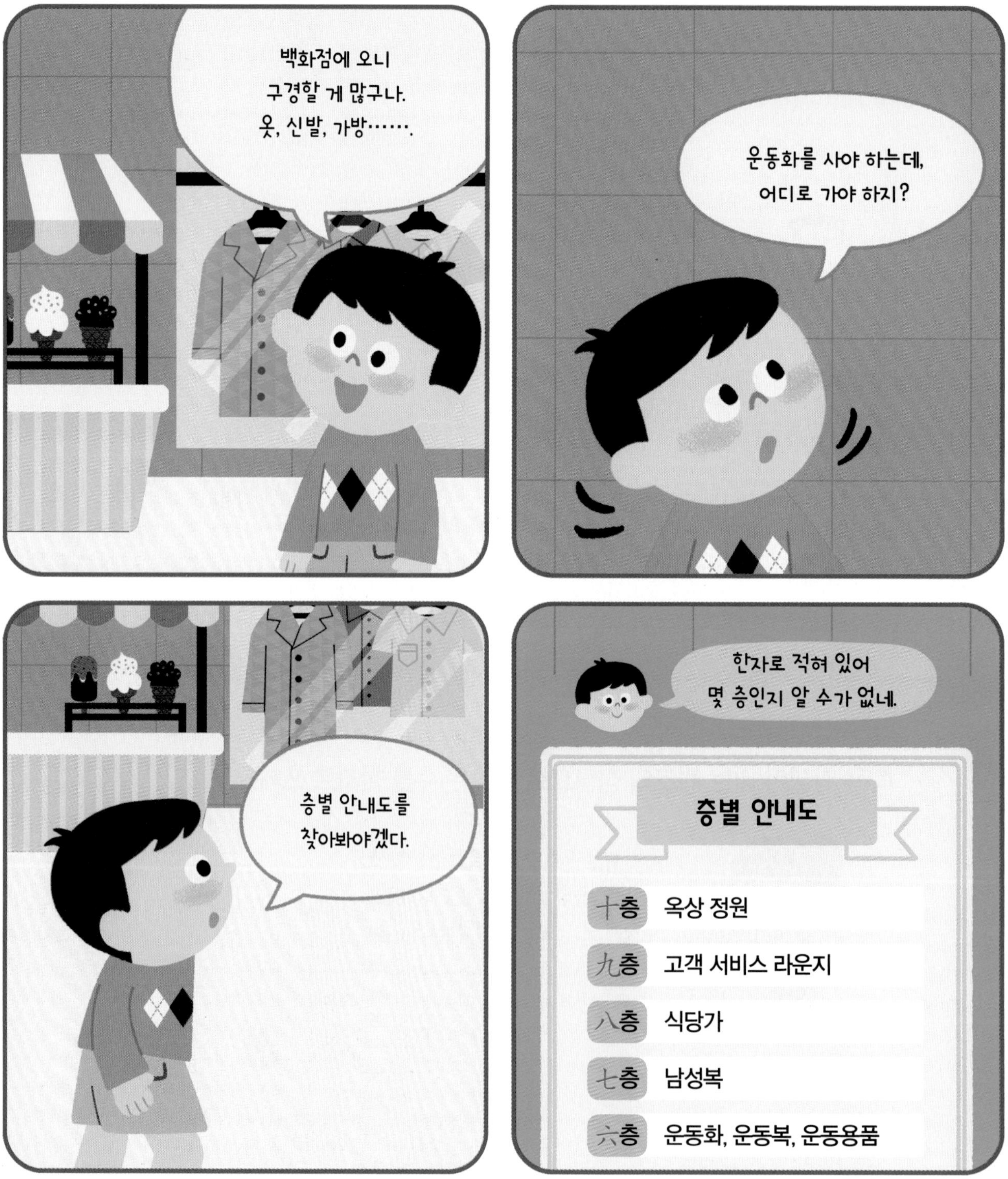
백화점에 오니
구경할 게 많구나.
옷, 신발, 가방…….
운동화를 사야 하는데,
어디로 가야 하지?
층별 안내도를
찾아봐야겠다.
한자로 적혀 있어
몇 층인지 알 수가 없네.
층별 안내도
十층 옥상 정원
九층 고객 서비스 라운지
八층 식당가
七층 남성복
六층 운동화, 운동복, 운동용품

이번 주에는 어떤 한자를 공부할까?

- 1일 六 여섯 륙
- 2일 七 일곱 칠
- 3일 八 여덟 팔
- 4일 九 아홉 구
- 5일 十 열 십

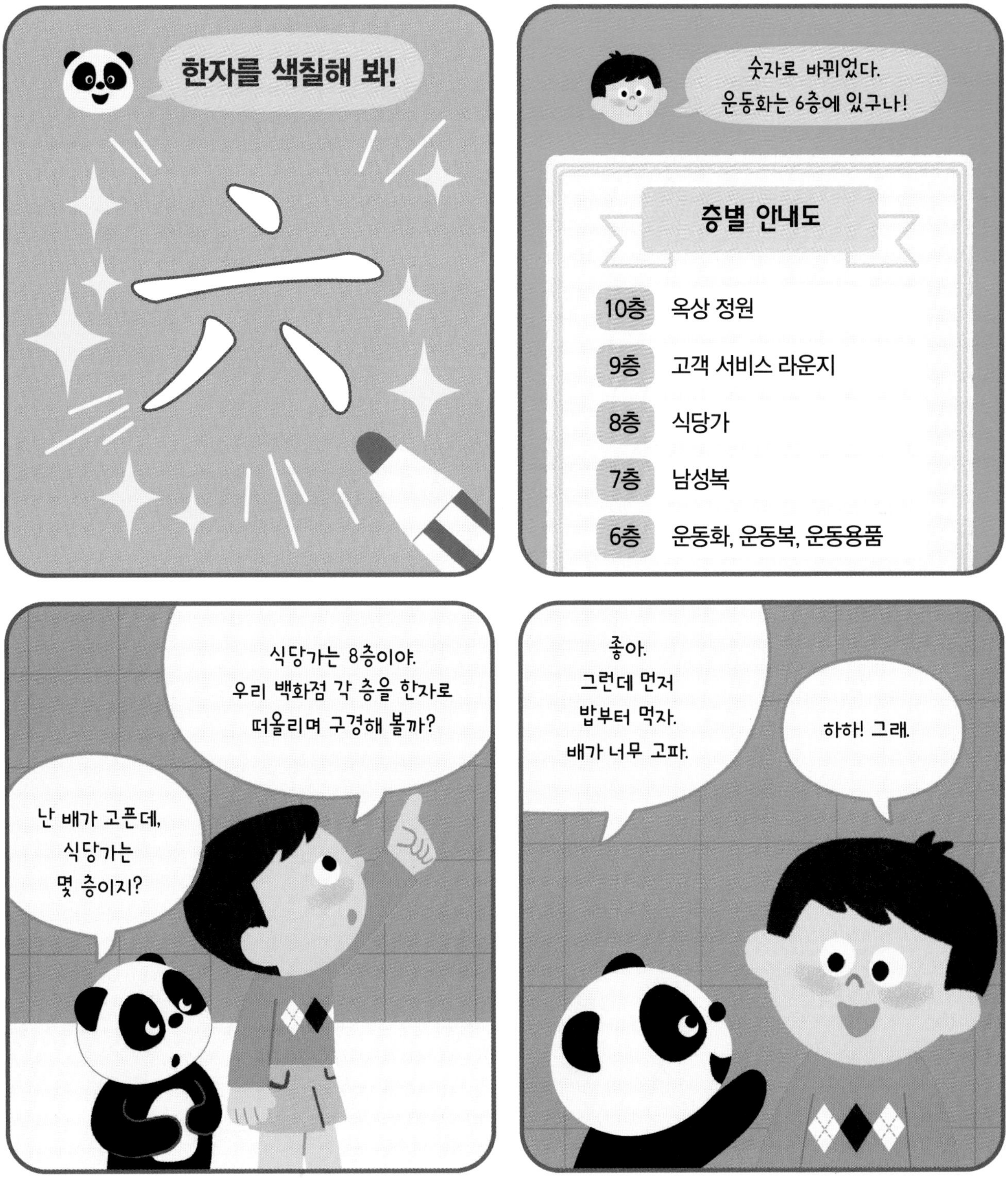

한자를 색칠해 봐!
六
숫자로 바뀌었다.
운동화는 6층에 있구나!
층별 안내도
10층 옥상 정원
9층 고객 서비스 라운지
8층 식당가
7층 남성복
6층 운동화, 운동복, 운동용품
난 배가 고픈데, 식당가는 몇 층이지?
식당가는 8층이야. 우리 백화점 각 층을 한자로 떠올리며 구경해 볼까?
좋아. 그런데 먼저 밥부터 먹자. 배가 너무 고파.
하하! 그래.

2 주

2주
2주에는 무엇을 공부할까? ②

이번 주에 배울 한자들이 그림 속에 숨어 있어요. 보기 를 참고해서 한자를 찾아보세요.

보기

六 여섯 륙 七 일곱 칠 八 여덟 팔 九 아홉 구 十 열 십

六층

◐ 정답 7쪽

LOVE
九
十

1일

숫자 한자

六 여섯 륙

다음 글을 읽고, 오늘 배울 한자를 확인해 보세요.

6(六)월 6(六)일은 현충일,
6(六)월 25일은 육(六)이오
전쟁일입니다.
그래서 6(六)월은 나라를 위해
자신의 몸과 마음을
바친 분들을 기억하고
그분들께 감사하는 마음을 갖는
호국보훈의 달입니다.

6月
일 월 화 수 목 금 토
1 2 3 4 5
6 7 8 9 10 11 12
13 14 15 16 17 18 19
20 21 22 23 24 25 26
27 28 29 30
오늘 배울 한자
六
여섯 륙

공부한 날 月 日

여섯 륙

여섯이라는 뜻이에요. 낱말의 맨 앞에 올 때는 육이라고 읽어요.

QR을 보며 따라 써요!

연하게 쓰인 한자를 따라 써 본 후, 빈칸에 바르게 쓰세요.

六	六	六	六
여섯 륙	여섯 륙	여섯 륙	여섯 륙
여섯 륙	여섯 륙	여섯 륙	여섯 륙

2주

1일 숫자 한자

六 여섯 륙

한자어를 익혀요

벌써
유월(六月)이구나.
유월에는
육이오(六二五) 전쟁
일이 있던데요?
육이오 전쟁은 1950년 6월 25일
북한군이 남한을 기습적으로 공격하여
일어난 전쟁이야.
이 전쟁은 1953년 휴전이
이루어질 때까지 계속됐지.
아,
그렇구나.
그동안 우리나라의 평화와 안전을 위해
희생하신 분들이 계셨기에 지금 우리가 이렇게
편안하고 행복하게 살 수 있는 거란다.
그분들께
감사하는 마음을
가져야겠어요.
아빠, 저는 커서 우리나라와
국민의 안전을 지키는 군인이
될래요!
대견하구나!
아빠, 나는 천하무적 로봇을
타고 우리나라를 지킬 거예요.
로봇이 있으면 적을 오백 명,
아니 육백(六百) 명도
무찌를 수 있어요!
하하, 그래!

'六(여섯 륙)'이 들어간 한자어를 알아봅시다.

륙 한글로 써 보아요.

六 한자로 써 보아요.

○ 월	□ 月
6월. 한 해 열두 달 가운데 여섯째 달	달 **월**
○ 이 오	□ 二 五
1950년 6월 25일 북한군이 남한을 공격하여 일어난 전쟁	두 **이** 다섯 **오**
○ 백	□ 百
600. 100을 여섯 번 더한 수	일백 **백**

6월은 '유월'이라고 읽어요.

2주

六 여섯 륙

기초 실력을 키워요

1 다음 두 친구의 대화를 읽고, □에 들어갈 그림으로 알맞은 것에 ○표 하세요.

□ 부분에 막대는
몇 개를 그려야 하지?
□에 들어갈
막대의 개수를 한자로
나타내면 '六'이야.

아하! 이렇게 푸는구나!

태극기 괘의 막대 수는 3, 4, 5, 6개로 구성돼요.

어휘 확인

2 ◯에 알맞은 글자를 넣어 낱말을 만드세요.

2020년
5
2020년
6월

6월. 한 해 열두 달 가운데 여섯째 달

◯월

1950년 6월 25일 북한군이 남한을 공격하여 일어난 전쟁

◯이오

100 + 100 + 100
100 + 100 + 100
=

600. 100을 여섯 번 더한 수

◯백

급수 유형

3 다음 한자의 음(소리)을 보기 에서 찾아 그 번호를 쓰세요.

보기

① 오　　② 륙　　③ 칠

- 六 → (　　　　)

급수 유형

4 다음 밑줄 친 말에 해당하는 한자를 보기 에서 찾아 그 번호를 쓰세요.

보기

① 四　　② 五　　③ 六

- 내 동생은 <u>여섯</u> 살입니다. → (　　　　)

2일

숫자 한자

七 일곱 칠

다음 글을 읽고, 오늘 배울 한자를 확인해 보세요.

북쪽의 밤하늘을 바라보아요.
일곱[七] 개의 별이 국자 모양을 이루며
반짝반짝 빛나고 있어요.
이 별들을 북두칠(七)성이라고 해요.
북두칠(七)성은 옛날 효성스러운 일곱[七] 아들이
별이 된 것이라는 전설이 전해져요.
신비롭고 아름다운 여름 밤하늘,
또 어떤 일들이 펼쳐질까요?

오늘 배울 한자
七
일곱 칠

七

일곱 칠

일곱이라는 뜻이에요. '十(열 십)'과 구분하려고 끝을 구부려 썼어요.

QR을 보며 따라 써요!

연하게 쓰인 한자를 따라 써 본 후, 빈칸에 바르게 쓰세요.

七	七	七	七
일곱 칠	일곱 칠	일곱 칠	일곱 칠
일곱 칠	일곱 칠	일곱 칠	일곱 칠

2일

숫자 한자

七 일곱 칠

한자어를 익혀요

내일은 음력 7월 칠일(七日), 칠석(七夕)날이네.
칠석?
칠석날 밤, 은하의 서쪽에 있는 직녀와 동쪽에 있는 견우가 오작교에서 만난다는 전설이 있어.
까악
까악
오작교는 까마귀와 까치가 두 사람을 만날 수 있게 만들어 주는 다리야.
아, 그렇구나.
사랑하는 사람을 1년에 한 번만 볼 수 있다면 서로 얼마나 그리워할까?
음, 그보다…….
까악
까마귀와 까치가 다리를 만들려면 몇 마리가 필요할까? 칠천(七千) 마리? 팔천 마리? 어휴, 너무 무겁겠는걸?
도대체 낭만이라고는 찾아볼 수가 없네.
헤헤

'七(일곱 칠)'이 들어간 한자어를 알아봅시다.

칠 한글로 써 보아요.

七 한자로 써 보아요.

일

일곱 날. 어떤 달의 일곱째 날

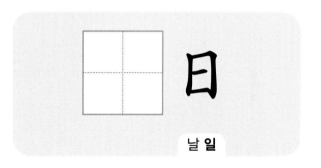

日

날 **일**

석

음력 7월 7일로, 전설 속 견우와 직녀가 만나는 날

夕

저녁 **석**

천

7000. 1000을 일곱 번 더한 수

千

일천 **천**

七 일곱 칠

기초 실력을 키워요

1 한자 '일곱 칠'이 적힌 행성을 따라가 견우가 직녀를 만날 수 있게 해 주세요.

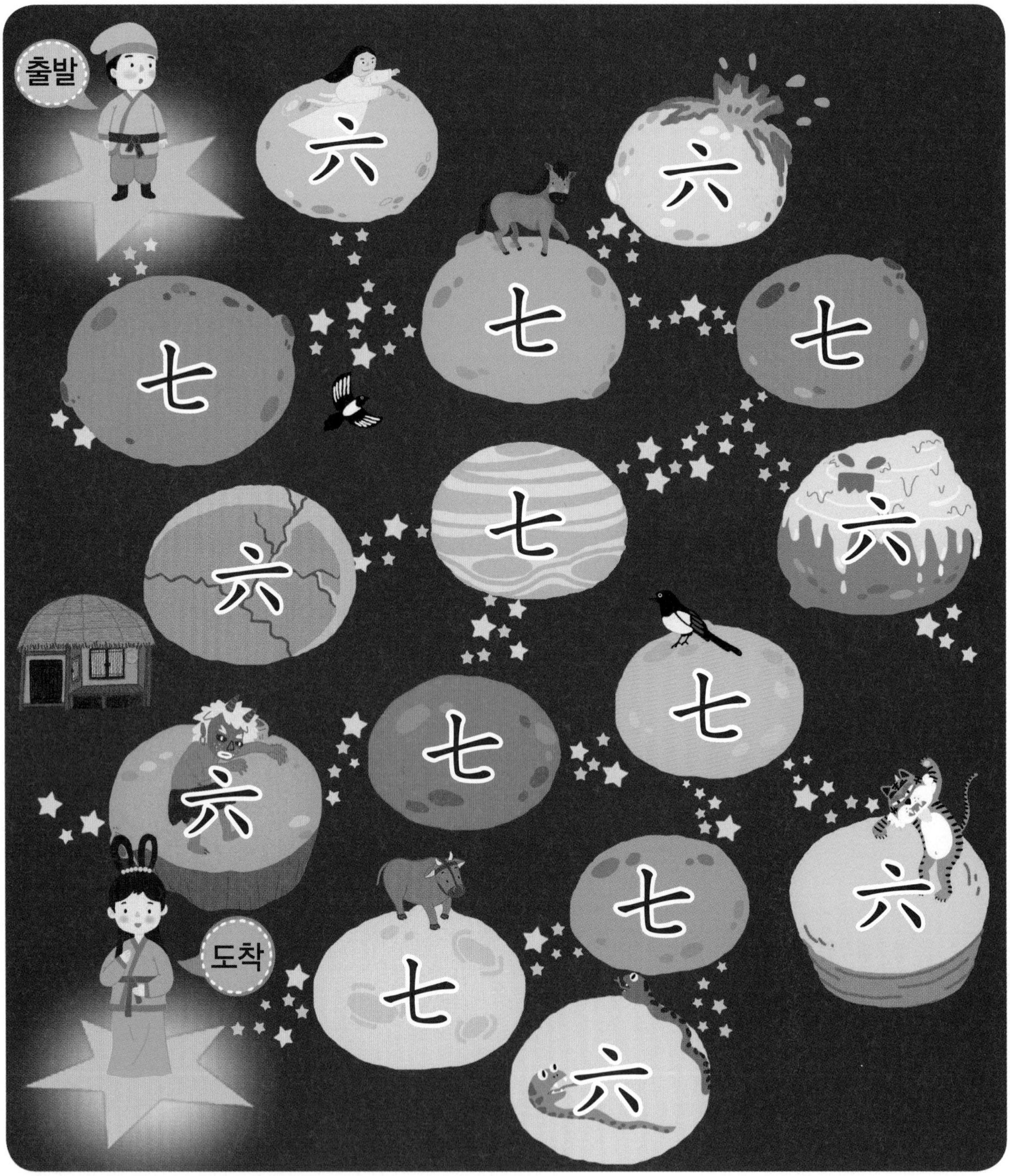
출발
六
六
七
七
七
七
六
六
七
七
六
七
六
도착
七
六

아하! 이렇게 푸는구나!

한자 '일곱 칠'은 '十(열 십)'과 구분하려고 끝을 구부려 썼어요.

어휘 확인

2 그림 속 내용이 맞으면 '예', 틀리면 '아니요'에 ○표 하세요.

'七夕(칠석)'은 '음력 5월 5일' 입니다.

예 　 아니요

'七千(칠천)'은 '1000을 일곱 번 더한 수'를 뜻합니다.

예 　 아니요

급수 유형

3 다음 밑줄 친 한자의 음(소리)을 쓰세요.

수영이는 <u>七</u>일 동안 역사책을 읽었습니다. → (　　　　　)

급수 유형

4 다음 뜻에 알맞은 한자를 보기 에서 찾아 그 번호를 쓰세요.

보기

① 七 　 ② 六 　 ③ 五

- 일곱 → (　　　　　)

3일

숫자 한자

八 여덟 팔

다음 글을 읽고, 오늘 배울 한자를 확인해 보세요.

이번 여름 방학에는 가족 행사가 많습니다.
8(八)월 1일, 할아버지의 팔(八)십 번째 생신 때는 친척들이 모두 모여 축하해 드리기로 했습니다.
가족 여행도 갈 계획입니다.
즐거운 여름 방학이 될 것 같아요.

오늘 배울 한자

八

여덟 팔

축하합니다

공부한 날 月 日

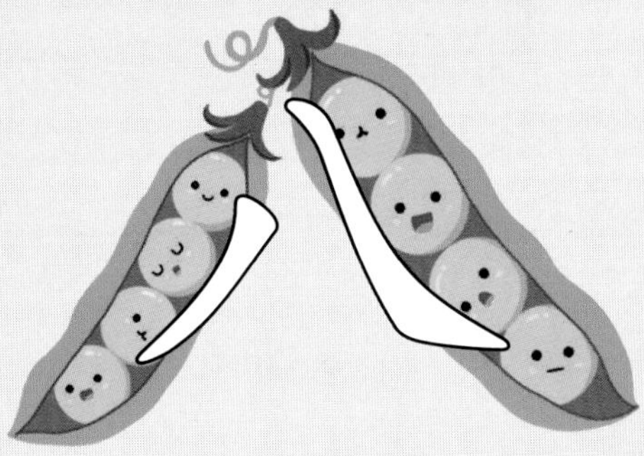

여덟 팔

여덟이라는 뜻이에요. 물건을 나누는 모습이었다가 후에 뜻이 바뀌었어요.

QR을 보며 따라 써요!

2주

연하게 쓰인 한자를 따라 써 본 후, 빈칸에 바르게 쓰세요.

八	八	八	八
여덟 팔	여덟 팔	여덟 팔	여덟 팔
여덟 팔	여덟 팔	여덟 팔	여덟 팔

3일 숫자 한자

八 여덟 팔

한자어를 익혀요

아빠, 우리 칠팔(七八)월에 가족 여행 가는 거죠?
그럼!
정말 기대돼요. 어디로 갈까요?
전국 팔도(八道) 방방곡곡을 다니며 자연과 우리 문화유산을 체험하는 게 어때? 그리고 맛있는 음식도 먹어야지.
우리나라는 팔도강산이 아름다우니 사방팔방(八方) 구경할 곳도 많을 거야.
좋아요!
그럼 제가 우리 가족의 팔도 여행 계획을 세워 볼게요. 각 지역의 맛집도 조사할게요. 저한테 맡겨 주세요!
하하, 그래. 우리 하늘이는 못하는 게 없는 팔방미인이구나!
'팔방미인'의 뜻은 86~87쪽에서 자세히 알아봐요.

'八(여덟 팔)'이 들어간 한자어를 알아봅시다.

팔 한글로 써 보아요.

八 한자로 써 보아요.

칠 ◯

일곱이나 여덟

七 □

일곱 **칠**

◯ 도

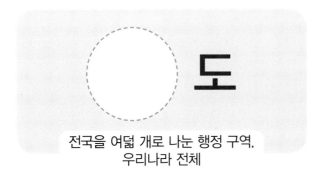

전국을 여덟 개로 나눈 행정 구역.
우리나라 전체

□ 道

길 **도**

◯ 방

여러 방향이나 방면

□ 方

모 **방**

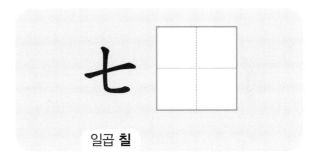

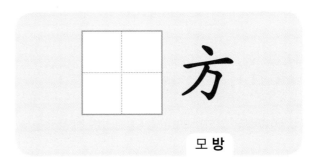

八 여덟 팔

기초 실력을 키워요

1 두 학생이 잡은 물고기는 각각 몇 마리인지 한자로 쓰세요.

마리
마리

아하! 이렇게 푸는구나!

여학생은 7마리, 남학생은 8마리를 잡았네요.

기초 집중 연습

어휘 확인

2 다음 뜻에 해당하는 낱말을 찾아 선으로 이으세요.

여러 방향이나 방면 •	• 칠팔
일곱이나 여덟 •	• 팔방
전국을 여덟 개로 나눈 행정 구역. 우리나라 전체 •	• 팔도

급수 유형

3 다음 밑줄 친 한자의 음(소리)을 쓰세요.

우리나라는 <u>八</u>도강산이 아름답습니다. → (   )

급수 유형

4 다음 뜻에 알맞은 한자를 보기에서 찾아 그 번호를 쓰세요.

보기

① 六　　② 七　　③ 八

• 문어의 다리는 <u>여덟</u> 개입니다. → (   )

4일

숫자 한자

九 아홉 구

다음 글을 읽고, 오늘 배울 한자를 확인해 보세요.

3×3=9
오늘 배울 한자
九
아홉 구

할아버지 댁에는 태어난 지 9(九)개월 된 귀여운 강아지가 세 마리 있어요. 강아지들한테 맛있는 간식을 주고 싶어요. 세 마리한테 세 개씩 주려고 계산해 보니, 총 아홉[九] 개가 필요하네요.

공부한 날 月 日

九

아홉 구

[**아홉**이라는 뜻이에요. 1~9 중에서 가장 큰 수라서 **많다**는 뜻도 있어요.]

QR을 보며 따라 써요!

연하게 쓰인 한자를 따라 써 본 후, 빈칸에 바르게 쓰세요.

九	九	九	九
아홉 구	아홉 구	아홉 구	아홉 구
아홉 구	아홉 구	아홉 구	아홉 구

2주

4일

숫자 한자

九 아홉 구

한자어를 익혀요

우리 같이 곱셈 구구(九九)를 외워 보자!
좋아!
곱셈구구
곱셈구구
2×1=2
2×2=4
아, 그만 할래. 구십(九十) 번은 외운 것 같아. 이제 좀 쉬어야겠어.
털썩
구구단
하늘아, 우리는 앞으로 이보다 더 어려운 수학 문제도 풀어야 해. 갈 길이 구만리(九萬里)인데, 곱셈 구구 외우는 걸 포기하면 어떻게 하니?
그래, 좋아! 다시 힘을 내서 외워 보자!
벌떡
잘 생각했어! 아, 그런데 잠깐!
일단 게임 좀 할까? 머리는 마저 식혀야지.
이거? 아니면 이거?
둘 다 좋지!
하하!
OO마블

'九(아홉 구)'가 들어간 한자어를 알아봅시다.

구 한글로 써 보아요.

九 한자로 써 보아요.

구

곱셈에 쓰는 기초 공식. 구구법으로 셈을 하는 일

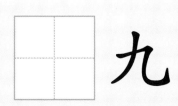

九

아홉 **구**

십

90. 10을 아홉 번 더한 수

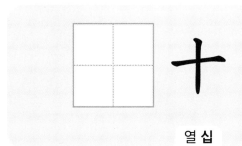

十

열 **십**

만 리

아득히 먼 거리

萬里

일만 **만** 마을 **리**

4일 숫자 한자

九 아홉 구

기초 실력을 키워요

1 강아지가 가족을 만날 수 있게 1부터 9까지 숫자를 순서대로 이어 길을 만들어 주세요. 그리고 길을 이었을 때 나타난 한자의 뜻과 음(소리)으로 알맞은 것에 ○표 하세요.

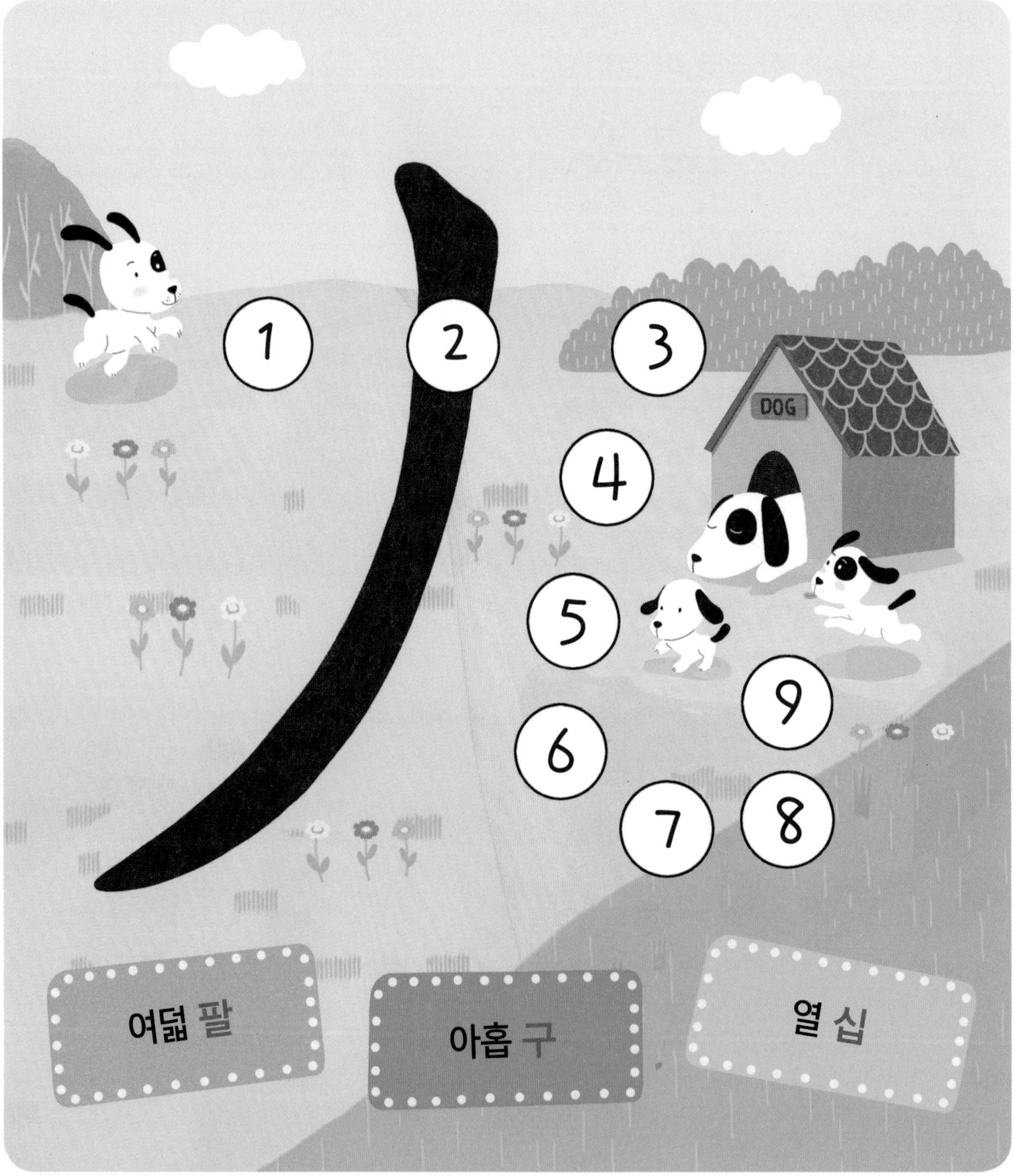

1
2
3
DOG
4
5
9
6
7
8
여덟 팔
아홉 구
열 십

아하! 이렇게 푸는구나!

'아홉 개'의 숫자를 이으니 한자가 나타나네요.

어휘 확인

2 낱말판에서 설명 에 해당하는 낱말을 찾아 ○표 하세요.

구	팔	육
칠	구	백
천	십	만

설명

90. 10을 아홉 번 더한 수

급수 유형

3 다음 밑줄 친 음(소리)에 해당하는 한자를 보기 에서 찾아 그 번호를 쓰세요.

보기

① 八　② 九　③ 十

- 구만리를 난다는 상상의 새가 있습니다. → (　　　　)

급수 유형

4 보기 와 같이 다음 한자의 뜻과 음(소리)을 쓰세요.

보기

六 → 여섯 륙

- 九 → (　　　　)

5일

숫자 한자

十 열 십

다음 글을 읽고, 오늘 배울 한자를 확인해 보세요.

친구들과 숨바꼭질을 하고 있어요.
이번에는 내가 술래예요.
"열[十]을 셀 때까지 모두 숨어야 해.
하나, 둘, 셋, 넷, … 열[十]! 이제 찾는다."
그런데 친구 한 명은 십(十) 분이 지나도
찾을 수가 없네요.
도대체 어디에 숨어 있을까요?
오늘 배울 한자
十
열 십

공부한 날 月 日

열 십

세로로 놓인 대나무 모양을 본뜬 글자에 가로선을 더한 모양으로, **열**을 뜻해요.

QR을 보며 따라 써요!

연하게 쓰인 한자를 따라 써 본 후, 빈칸에 바르게 쓰세요.

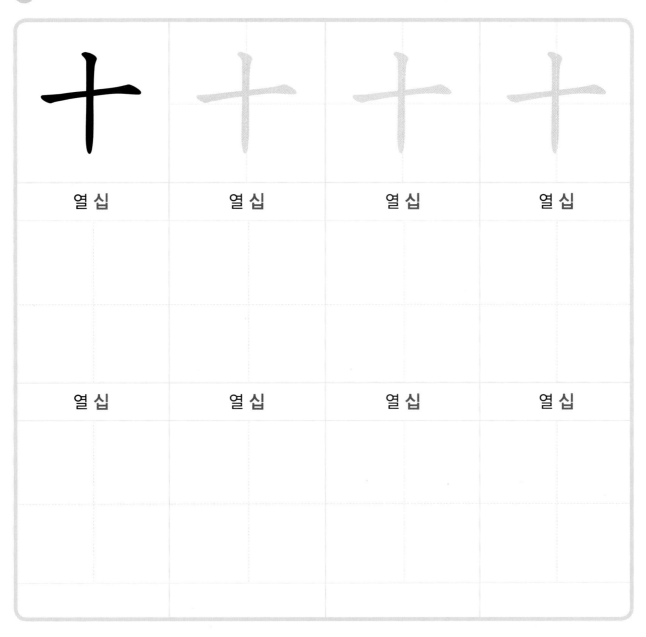

十	十	十	十
열 십	열 십	열 십	열 십
열 십	열 십	열 십	열 십

2주

5일

숫자 한자

十 열 십

한자어를 익혀요

숨바꼭질 재미있었지?
응, 정말 재미있었어.
참, 나 은행에 가야 해.
은행에는 무슨 일로?
1월부터 시월(十月)까지 용돈을 아껴 써서 십만(十萬) 원을 모았어. 그래서 은행에 가서 통장을 만들 거야.
왁! 대단하다.
이 근처에 은행이 어디 있지?
저쪽 사거리에 십자(十字) 모양이 있는 병원 건물이 있어. 그 옆에 알뜰은행이 있어.
알려 줘서 고마워. 하늘아, 너도 용돈을 모아 보는 게 어때?
좋아! 지금 가진 용돈부터 모아 봐야지.
10000
어, 이 맛있는 냄새는? 요것까지만 쓸까? 못 참겠다!
못 말려!
냠냠 떡볶이
킁
킁
1000

'十(열 십)'이 들어간 한자어를 알아봅시다.

십 한글로 써 보아요.

十 한자로 써 보아요.

월

10월. 한 해 열두 달 가운데 열째 달

月

달 **월**

10월은
'시월'이라고
읽어요.

만

10000을 열 번 더한 수

萬

일만 **만**

자

'十' 자와 같은 모양

字

글자 **자**

十 열 십

기초 실력을 키워요

1 그림 속 뜻과 음(소리)에 알맞은 한자를 [ ]에 쓰세요.

열 십

아하! 이렇게 푸는구나!

한자 '열 십'은 세로로 놓인 대나무 모양을 본뜬 글자에 가로선을 더한 모양이에요.

◐ 정답 9쪽

기초 집중 연습

어휘 확인

2 다음 뜻에 해당하는 낱말을 찾아 ○표 하세요.

'十' 자와
같은 모양

10000을
열 번 더한 수

일자

십자

십만

백만

급수 유형

3 다음 밑줄 친 한자의 음(소리)을 쓰세요.

용돈을 아껴 써서 <u>十</u>만 원을 모았습니다. → (　　　　　)

급수 유형

4 다음 뜻에 알맞은 한자를 보기 에서 찾아 그 번호를 쓰세요.

보기
① 十　　② 九　　③ 八

- 열 → (　　　　　)

2주

2주 누구나 100점 TEST

1 다음 한자 카드의 [ ] 안에 들어갈 한자의 뜻과 음(소리)을 쓰세요.

六 [ ]

→ (   )

2 다음 [ ] 안에 들어갈 한자에 ○표 하세요.

음력 7월 7일은 [ ] 석입니다.

六 / 七

3 그림 속 피자 조각의 개수로 알맞은 한자를 찾아 선으로 이으세요.

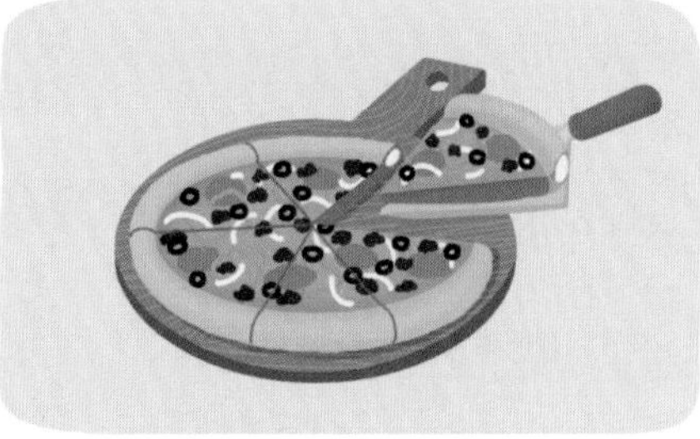

• 六

• 八

4 다음 한자의 음(소리)을 보기 에서 찾아 그 번호를 쓰세요.

보기

① 구　　② 칠　　③ 십

(1) 九 → (   )　　(2) 十 → (   )

5 다음 ☐ 안에 들어갈 한자에 ○표 하세요.

1950년에 ☐ 二五 전쟁이 일어났습니다.

八 / 六

6 다음 밑줄 친 한자어의 음(소리)을 쓰세요.

7~8분

집에서 학교까지 <u>七八</u>분 정도 걸립니다.

→ (　　　　　　　　)

7 다음 ☐ 안에 들어갈 한자를 보기 에서 찾아 그 번호를 쓰세요.

보기

① 七　　　② 八　　　③ 九

- ☐만리: 아득히 먼 거리 → (　　　　　　　　)

8 다음 ☐ 안에 들어갈 한자를 보기 에서 찾아 그 번호를 쓰세요.

보기

① 十　　　② 八　　　③ 六

- 五 + 五 = ☐ → (　　　　　　　　)

생각을 키워요 1

국어+한문 다음 만화를 읽고, 성어의 뜻을 생각해 보세요.

八方美人

여덟 팔 모 방 아름다울 미 사람 인

바다야, 우리 댕댕이 좀 볼래?
어머, 정말 귀엽다!
손! 앉아! 일어나!
척
척
와, 대단한데?
그렇지? 우리 댕댕이는 정말 못하는 게 없는 팔방미인이야.

◐ 정답 10쪽

정말 그렇네. 그렇다면 우리 애옹이는…….
냐~옹
야옹!
아, 사료 달라고?
야아옹!
물 달라고?
야옹! 야옹!
모래 청소해 달라고?
에고, 바쁘다 바빠!
후두둑
바다 너는 애옹이 말을 다 알아듣는구나?
할짝
야옹! (우리 바다는 정말 못하는 게 없는 팔방미인이다옹!)
oooo

◆ 성어의 뜻을 살펴보며 빈칸에 알맞은 한자를 채우세요.

팔	방	미	인
□	方	美	人

→ '어느 모로 보나 아름다운 사람'이라는 뜻으로, 모든 분야에서 두루 뛰어난 사람을 이르는 말

창의·융합·코딩

생각을 키워요 ❷

코딩+한문 다음 명령어 화살표를 이용하여 규칙에 따라 하나가 문구점, 학원, 놀이터에 갈 수 있도록 해 보세요.

명령어

→ ← ↑ ↓

규칙

- 하나는 숫자 '八' 카드를 가지고 있습니다. 八보다 작은 숫자를 만나면 해당 칸을 지나갈 수 있지만, 八보다 큰 숫자를 만나면 돌아가야 합니다.
- 빈칸과 숫자가 있는 칸만 지나갈 수 있습니다.
- 가장 가까운 길을 찾아가도록 하세요.

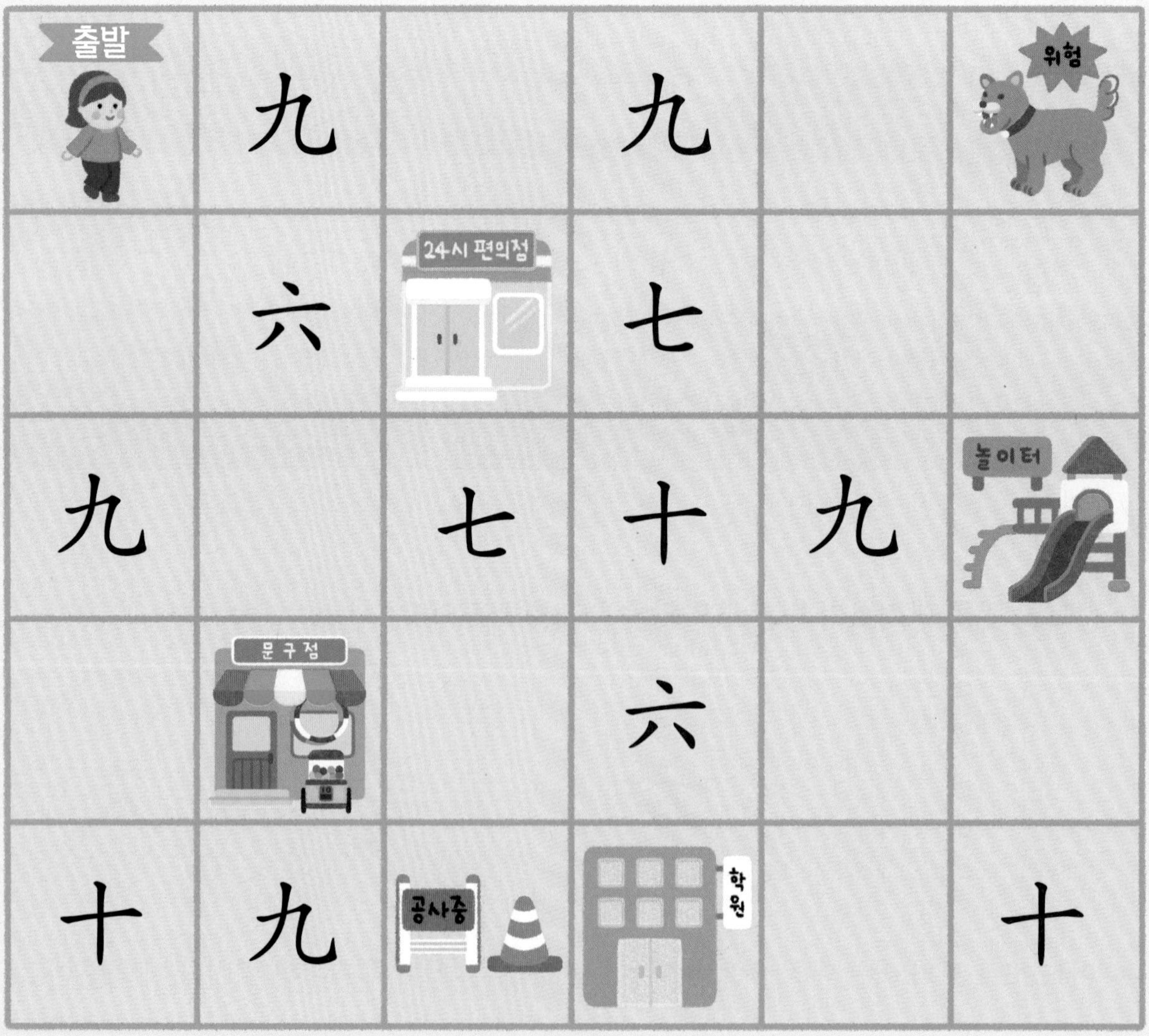
출발
九
九
위험
六
24시 편의점
七
九
七
十
九
놀이터
문구점
六
十
九
공사중
학원
十

◐ 정답 11쪽

목적지	이동 경로
편의점	예시 ↓ → →

목적지	이동 경로
문구점	

목적지	이동 경로
학원	

목적지	이동 경로
놀이터	

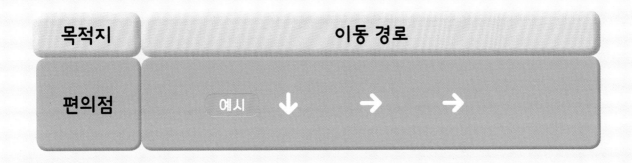

생각을 키워요 ③

창의·융합·코딩

수학+한문 **다음 내용을 보고, 물음에 답해 보세요.**

하늘이네 반 친구들은 모둠별로 과자를 10개씩 만들려고 합니다. 모둠별로 현재까지 만든 과자는 다음과 같습니다. 모둠별로 과자를 얼마나 더 만들어야 할까요?

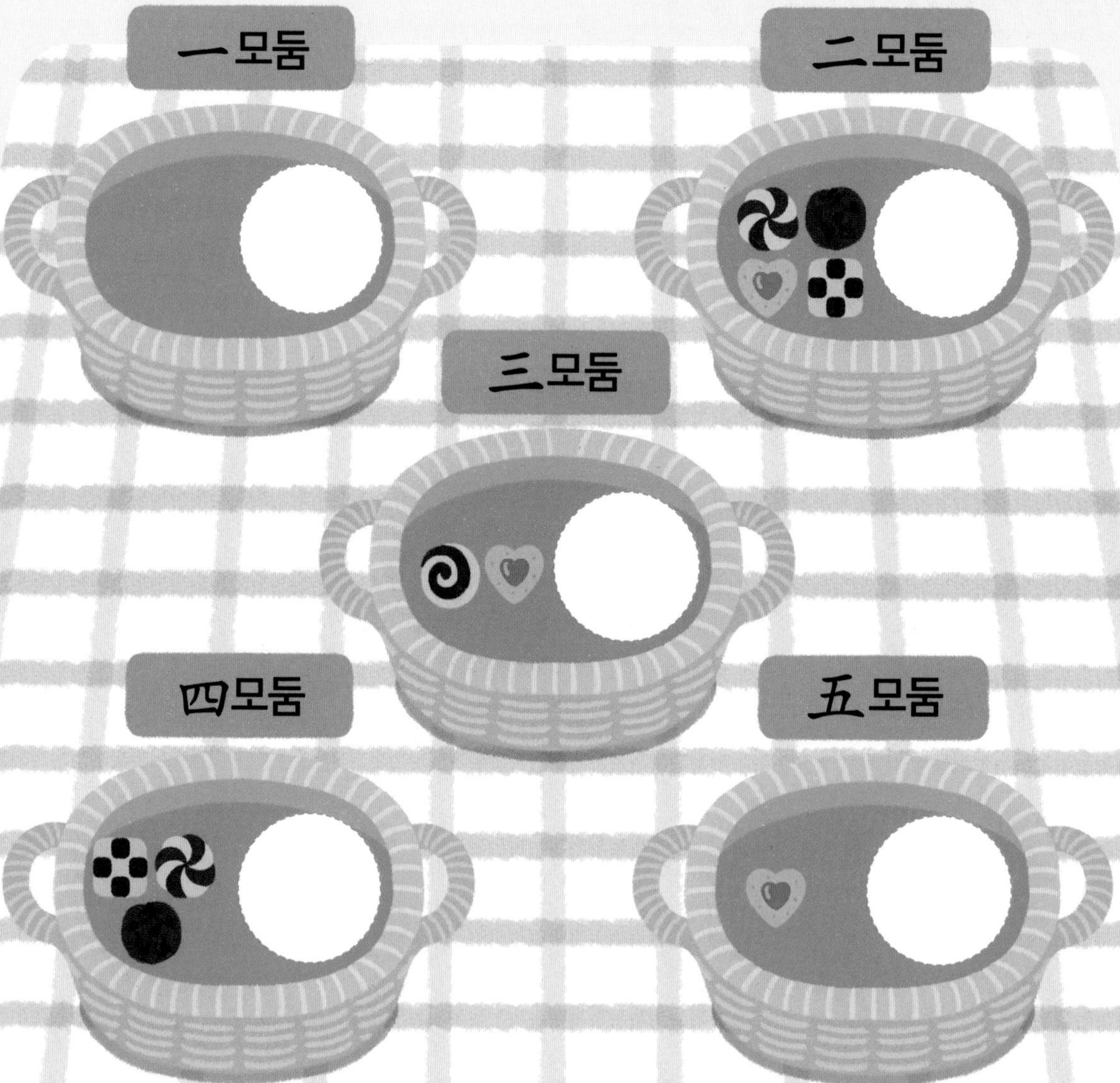
一모둠
二모둠
三모둠
四모둠
五모둠

1 모둠별로 과자를 10개씩 만들려면 얼마나 더 만들어야 하는지 ( )에 알맞은 한자 붙임 딱지를 붙이세요. 붙임 딱지 185쪽

2 다음 친구들의 대화에서 □에 알맞은 숫자를 쓰세요.

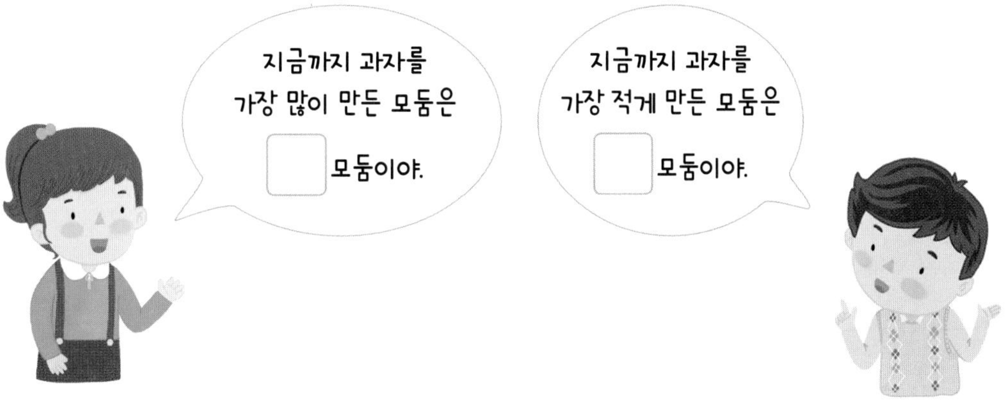
지금까지 과자를 가장 많이 만든 모둠은 □ 모둠이야.
지금까지 과자를 가장 적게 만든 모둠은 □ 모둠이야.

3 다음 학생이 내는 퀴즈의 정답으로 알맞은 수를 한자로 쓰세요.

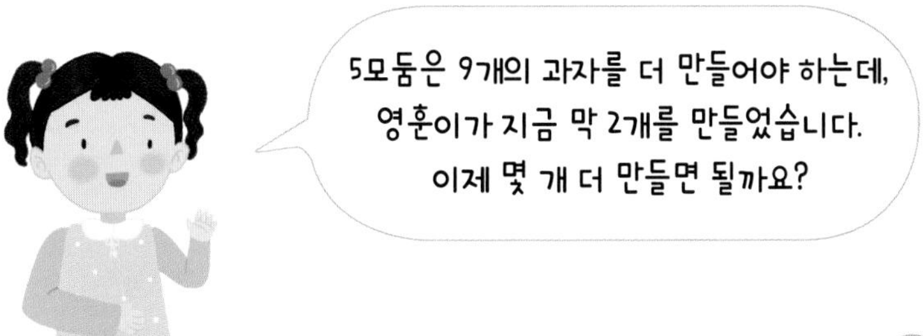
5모둠은 9개의 과자를 더 만들어야 하는데, 영훈이가 지금 막 2개를 만들었습니다. 이제 몇 개 더 만들면 될까요?

답 □ 개

3주 3주에는 무엇을 공부할까? ①

오늘은 안 돼.
바름아, 놀러 나가자!
응. 선생님께서 좋아하는 동물에 대해 조사해 오라고 숙제를 내 주셨거든.
웬일로 책을 읽고 있네!
넌 어떤 동물을 좋아하니?
난 바다에서 사는 동물들에 관심이 많아.
우아, 좋은 생각이야. 가까운 수족관을 검색해 봐야겠다. 입장료가 얼마지?
바름아, 그럼 우리 수족관에 가 보는 건 어때?

이번 주에는 어떤 한자를 공부할까?

1일 萬 일만 만

2일 大 큰 대

3일 小 작을 소

4일 長 긴 장

5일 寸 마디 촌

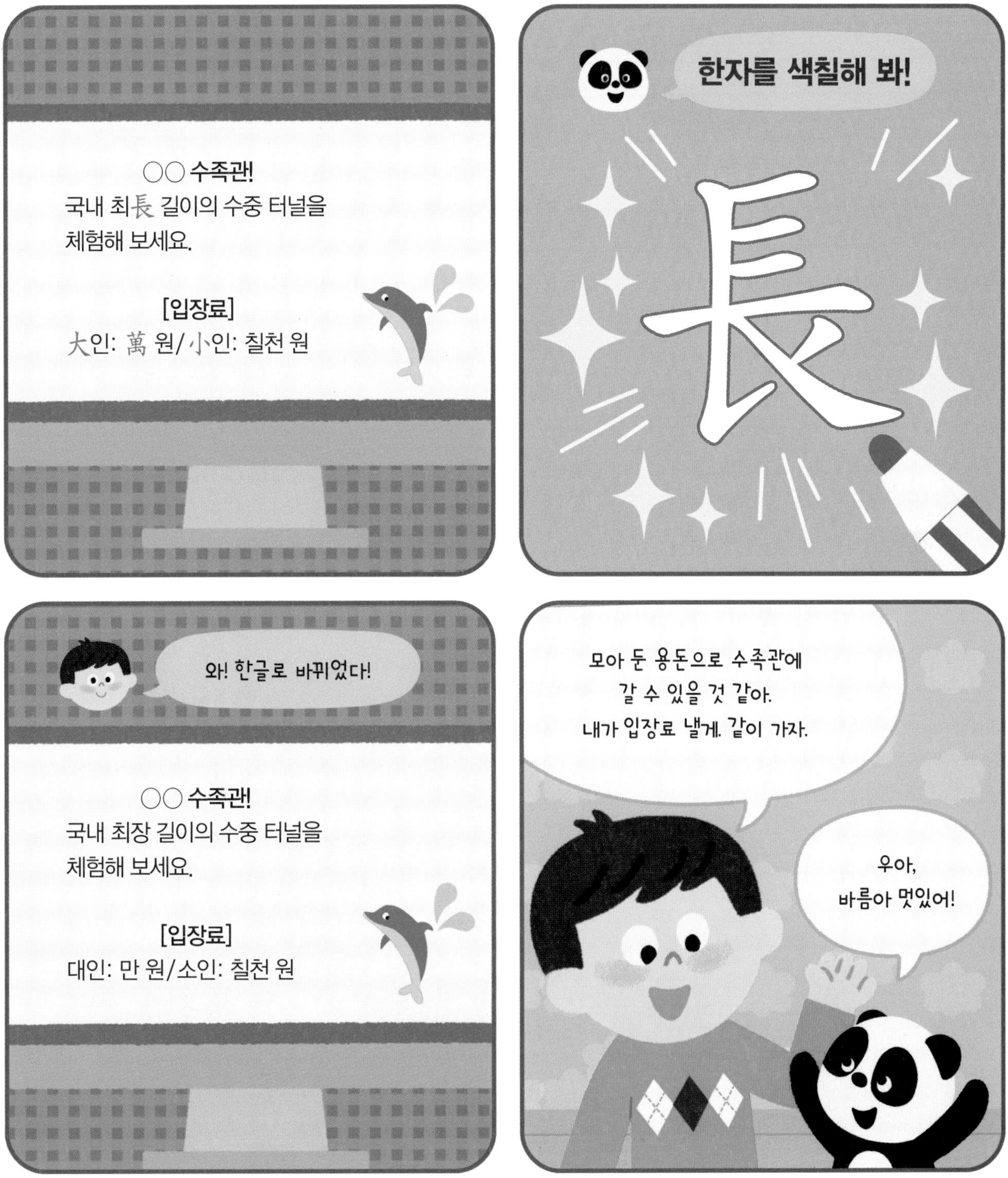

○○ 수족관!
국내 최長 길이의 수중 터널을
체험해 보세요.
[입장료]
大인: 萬 원/小인: 칠천 원
한자를 색칠해 봐!
長
와! 한글로 바뀌었다!
○○ 수족관!
국내 최장 길이의 수중 터널을
체험해 보세요.
[입장료]
대인: 만 원/소인: 칠천 원
모아 둔 용돈으로 수족관에 갈 수 있을 것 같아. 내가 입장료 낼게. 같이 가자.
우아, 바름아 멋있어!

3주 3주에는 무엇을 공부할까? ②

이번 주에 배울 한자들이 그림 속에 숨어 있어요. 보기를 참고해서 한자를 찾아보세요.

보기

萬 일만 만　大 큰 대　小 작을 소　長 긴 장　寸 마디 촌

萬
長
小

◐ 정답 12쪽

大
寸

1일

숫자 한자

萬 일만 만

다음 글을 읽고, 오늘 배울 한자를 확인해 보세요.

오늘은 봄 소풍 가는 날!
아침 일찍 일어나 설레는 마음으로 소풍 가방을 싸요.
김밥과 물, 모자와 돗자리를 챙겨요.
만(萬)일을 대비해서 비상금 만(萬) 원과
비상 약도 준비해요.

오늘 배울 한자

萬

일만 만

10000

萬

일만 만

[전갈의 모양을 본뜬 글자로, 알을 많이 낳는다고 하여 **많은 수** 또는 **일만**을 뜻해요.]

QR을 보며 따라 써요!

연하게 쓰인 한자를 따라 써 본 후, 빈칸에 바르게 쓰세요.

萬	萬	萬	萬
일만 만	일만 만	일만 만	일만 만
일만 만	일만 만	일만 만	일만 만

3주

1일 숫자 한자

萬 일만 만

한자어를 익혀요

봄 소풍을 오니
정말 기분이 좋네.
만일(萬一) 우리나라에
사계절 대신 봄만 있다면
어떨 것 같아?
꽃이 천만(千萬)
송이쯤 피어서 꽃 구경을
실컷 하면 좋겠어.
봄 소풍을 자주 하니까
좋을 것 같아!
나는 만사(萬事)
제쳐 놓고 친구들이랑
술래잡기할 거야.
다다다

'萬(일만 만)'이 들어간 한자어를 알아봅시다.

만 한글로 써 보아요.

萬 한자로 써 보아요.

( ) 일
혹시 있을지도 모르는 뜻밖의 경우

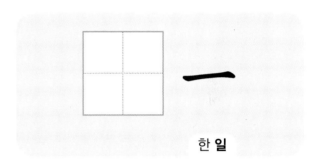

( ) 一
한 **일**

천 ( )
10000의 천 배가 되는 수

千 ( )
일천 **천**

( ) 사
여러 가지 온갖 일

( ) 事
일 **사**

萬 일만 만

기초 실력을 키워요

1 다음 중에서 '萬'을 뜻하는 화폐를 찾아 ○표 하세요.

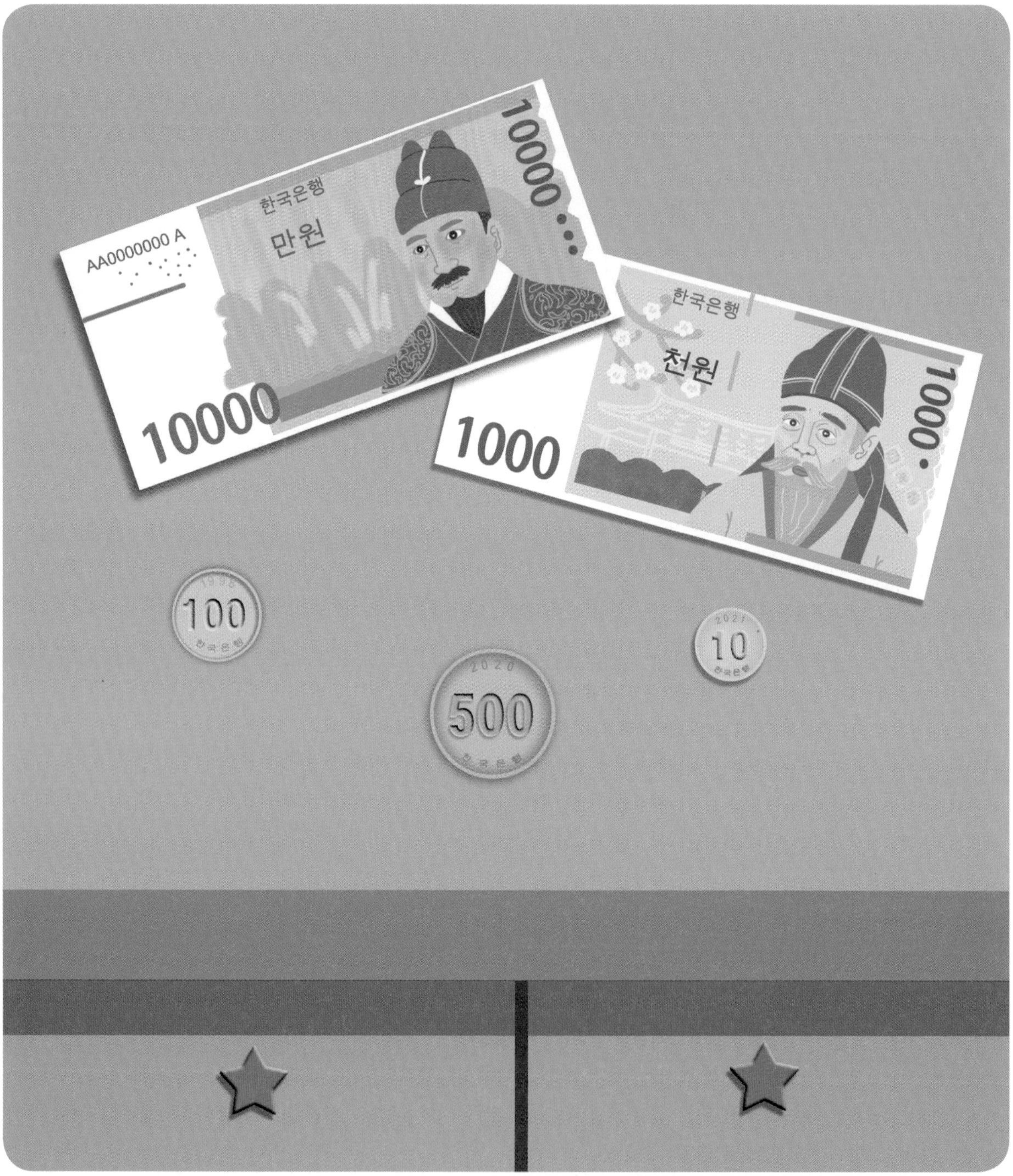
한국은행
만원
AA0000000 A
10000
한국은행
천원
1000
100
500
10

아하! 이렇게 푸는구나!

'많은 수(만)'를 뜻하는 글자가 사용된 화폐를 찾아보세요.

어휘 확인

2 다음에서 '만사'의 뜻을 바르게 말한 학생에 ○표 하세요.

혹시 있을지도
모르는 뜻밖의 경우
여러 가지 온갖 일
10000의
천 배가 되는 수

급수 유형

3 보기 와 같이 다음 한자의 뜻과 음(소리)을 쓰세요.

보기

十 → 열 십

- 萬 → ( )

급수 유형

4 다음 밑줄 친 음(소리)에 해당하는 한자를 보기 에서 찾아 그 번호를 쓰세요.

보기

① 七 ② 萬 ③ 五

- 만일 꿈이 이루어진다면 행복할 것 같습니다. → ( )

2일

크기 한자

大 큰 대

다음 글을 읽고, 오늘 배울 한자를 확인해 보세요.

주말에 가족과 함께 야구장에 갔어요.
큰[大] 경기장에 많은 사람들이 모여
각 팀을 응원했어요.
나도 신이 나서 큰[大] 소리로 응원을 했어요.
우리 가족이 응원하는 팀이 승리해서 기뻤어요.

오늘 배울 한자

大

큰 대

공부한 날 月 日

大

큰 대

사람이 팔다리를 벌리고 서 있는 모습을 본뜬 글자로, **크다**를 뜻해요.

QR을 보며 따라 써요!

연하게 쓰인 한자를 따라 써 본 후, 빈칸에 바르게 쓰세요.

大	大	大	大
큰 대	큰 대	큰 대	큰 대
큰 대	큰 대	큰 대	큰 대

3주

大 큰 대

한자어를 익혀요

짜
안
우아! 하늘아, 야구 유니폼 멋있다.
이번 달에 프로 야구 시즌이 시작되었잖아. 그래서 유니폼을 샀어.
텔레비전 중계를 보면 많은 사람들이 유니폼을 입고 응원을 하더라.
맞아. 나도 그중에 한 사람이야.
집 근처 야구 경기장에 야구 대회(大會)가 열리면 부모님이랑 종종 보러 가기도 했어.
와 아
와
넌 정말 야구를 사랑하는 것 같아.
난 야구가 정말 좋아. 공부는 1등을 하지 못해도 야구에서만큼은 대가(大家)가 될 거야.
부웅
붕
나중에 대학교(大學校)도 스포츠와 관련된 곳으로 가고 싶어.
오! 멋지다.

'大(큰 대)'가 들어간 한자어를 알아봅시다.

대 한글로 써 보아요.

大 한자로 써 보아요.

회

여러 사람이 실력을 겨루는 행사

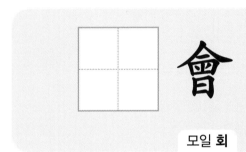

會

모일 회

가

전문 분야에서 권위를 인정받는 사람

家

집 가

학교

고등 교육을 베푸는 교육 기관

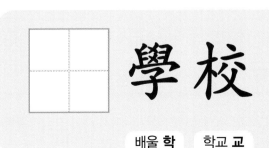

學校

배울 학 학교 교

2일 크기 한자

大 큰 대

기초 실력을 키워요

1 친구들이 심부름을 가려고 해요. 크기가 더 큰 과일이 놓인 길을 따라가 미로를 탈출하고, 도착한 곳에 있는 한자를 따라 쓰세요.

출발
도착
大

아하! 이렇게 푸는구나!

'큰 대'는 '크다'를 뜻하는 글자예요. 갈림길의 두 과일 중 큰 것을 선택하면 목적지에 도착할 수 있어요.

어휘 확인

2 그림 속 내용이 맞으면 '예', 틀리면 '아니요'에 ○표 하세요.

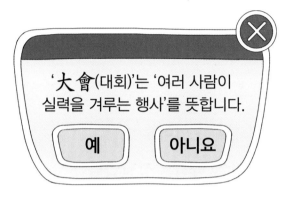

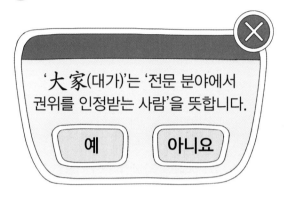

'大會(대회)'는 '여러 사람이 실력을 겨루는 행사'를 뜻합니다.

예 아니요

'大家(대가)'는 '전문 분야에서 권위를 인정받는 사람'을 뜻합니다.

예 아니요

급수 유형

3 보기 와 같이 다음 한자의 뜻과 음(소리)을 쓰세요.

보기

萬 → 일만 만

- 大 → (   )

급수 유형

4 다음 밑줄 친 음(소리)에 해당하는 한자를 보기 에서 찾아 그 번호를 쓰세요.

보기

① 萬　　② 大　　③ 十

- 한식의 대가에게 음식 만드는 방법을 배웠습니다. → (   )

3일

크기 한자

小 작을 소

다음 글을 읽고, 오늘 배울 한자를 확인해 보세요.

추석이 되어 친척들이 우리 집에 모였어요.
우리 아빠는 집안의 대소(小)사를 도맡아 하시는 장남입니다.
오랜만에 친척들과 맛있는 것을 먹고
소소(小小)한 이야기를 나누니 정말 즐거웠어요.
더도 말고 덜도 말고 늘 한가위 같으면 좋겠어요.

오늘 배울 한자
小
작을 소

공부한 날 月 日

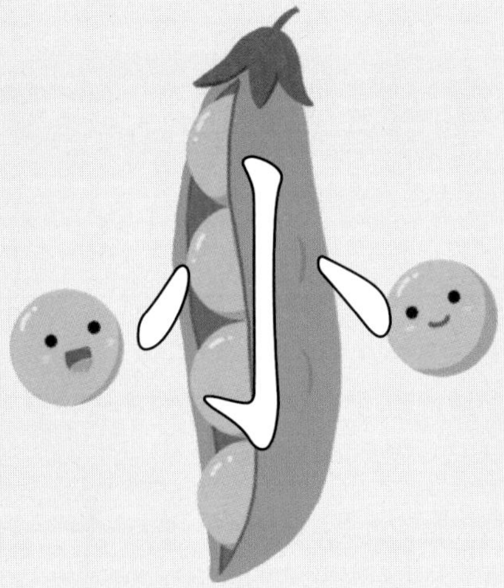

작을 소

작은 조각이 튀는 모습을 본뜬 글자로, 작다라는 뜻이에요.

QR을 보며 따라 써요!

연하게 쓰인 한자를 따라 써 본 후, 빈칸에 바르게 쓰세요.

小	小	小	小
작을 소	작을 소	작을 소	작을 소
작을 소	작을 소	작을 소	작을 소

3주

小 작을 소

한자어를 익혀요

드디어 추석이야. 신난다.
추석을 좋아하는 이유가 뭐니?
맛있는 음식을 많이 먹을 수 있거든요!
엄마! 전 더 없어요? 맛있어서 더 먹고 싶어요!
냠
냠
엄마! 너무 많이 먹었는지 배가 아파요.
그러게 적당히 먹지. 병원에 가 보자.
당분간은 소식(小食)을 하는 게 좋아요.
간식도 소분(小分)해서 먹는 게 좋겠다.
훌쩍
훌쩍
그만 우는 게 어때? 약소(弱小)하지만 추석 선물이 있어.
그렇다면 어서 집에 가요.

'小(작을 소)'가 들어간 한자어를 알아봅시다.

소 한글로 써 보아요.

小 한자로 써 보아요.

( ) 식

음식을 적게 먹음.

( ) 食

밥/먹을 **식**

( ) 분

작게 나눔. 또는 그런 부분

( ) 分

나눌 **분**

약 ( )

약하고 작음.

弱 ( )

약할 **약**

小 작을 소

기초 실력을 키워요

1 장난감을 크기에 따라 정리하고 있어요. 장난감과 바구니를 선으로 이으세요.

大
小
小
大
큰 장난감
작은 장난감

아하! 이렇게 푸는구나!

'大'는 '크다'를, '小'는 '작다'를 뜻하는 글자예요.

어휘 확인

2 ◯에 알맞은 글자를 넣어 낱말을 만드세요.

음식을 적게 먹음.

◯식

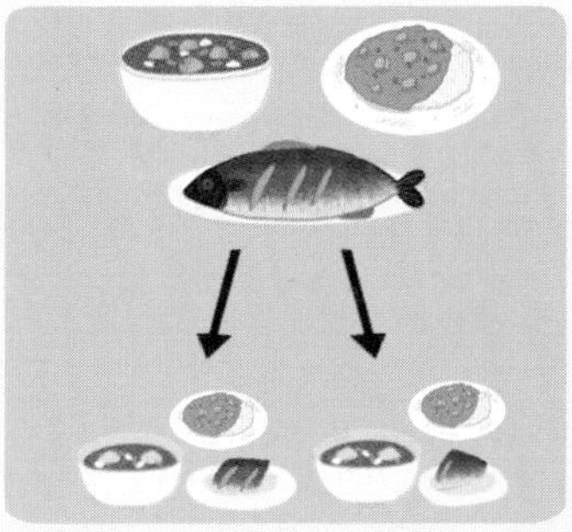

작게 나눔. 또는 그런 부분

◯분

약하고 작음.

약◯

급수 유형

3 다음 밑줄 친 한자의 음(소리)을 쓰세요.

간식을 <u>小</u>분하여 통에 담았습니다. → (　　　　　　)

급수 유형

4 다음 한자의 뜻을 보기에서 찾아 그 번호를 쓰세요.

보기

① 크다　　② 작다　　③ 많다

- 小 → (　　　　　　)

4일

크기 한자

長 긴 장

다음 글을 읽고, 오늘 배울 한자를 확인해 보세요.

아빠와 함께 게임을 했어요.
우리 집에는 게임을 할 수 있는 시간이 정해져 있어요.
아빠도 나도 게임을 너무 좋아하기 때문이에요.
긴[長] 시간 동안 게임을 하지는 않지만
아빠와 게임을 하는 시간이 참 즐거워요.

오늘 배울 한자

長

긴 장

長

긴 장

머리털이 긴 노인의 모습을 그린 글자로, 길다, 어른이라는 뜻을 나타내요.

QR을 보며 따라 써요!

연하게 쓰인 한자를 따라 써 본 후, 빈칸에 바르게 쓰세요.

長	長	長	長
긴 장	긴 장	긴 장	긴 장
긴 장	긴 장	긴 장	긴 장

3주

4일 크기 한자

長 긴 장

한자어를 익혀요

뿅뿅
게임 그만하고 숙제하렴.
벌써 시간이 이렇게 되었어요?
장시간(長時間) 게임을 하면 안 된다고 몇 번을 이야기했잖니.
뿅 뿅
으악! 말 시키시는 바람에 게임이 끝났어요.
띠리링
GAME OVER
커서 뭐가 될래?
형! 나랑 놀아 줘.
장남(長男)이 동생에게 모범을 보여야지.
전 커서 게임 회사 사장(社長)이 될 거예요. 엄마 아빠께 효도할게요!
그런 의미에서 한 게임 더 할게요.

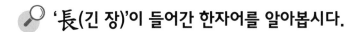

'長(긴 장)'이 들어간 한자어를 알아봅시다.

장 한글로 써 보아요.

長 한자로 써 보아요.

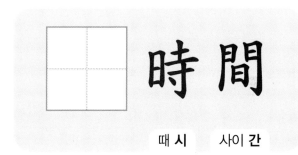

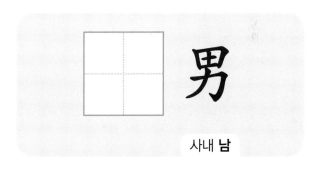

한글	뜻	한자	훈음
( ) 시간	오랜 시간	( ) 時間	때 **시** 사이 **간**
( ) 남	맏아들	( ) 男	사내 **남**
사 ( )	회사의 책임자	社 ( )	모일 **사**

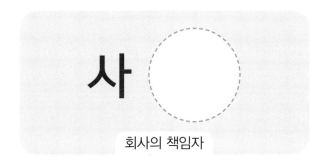

長 긴 장

기초 실력을 키워요

1 다양한 종류의 차들이 모여 길이를 뽐내고 있어요. 가장 긴 길이의 차에 ○표 하고 '긴 장(長)' 자를 쓰세요.

長

아하! 이렇게 푸는구나!

'긴 장'은 노인의 머리카락이 길게 자라나 있는 모습을 본뜬 글자예요.

기초 집중 연습

어휘 확인

2 다음에서 '긴 장(長)'이 들어 있는 낱말을 두 개 찾아 ○표 하세요.

장남
장시간
담장

급수 유형

3 보기 와 같이 다음 한자의 뜻과 음(소리)을 쓰세요.

보기

萬 → 일만 만

- 長 → (　　　　　　)

급수 유형

4 다음 밑줄 친 음(소리)에 해당하는 한자를 보기 에서 찾아 그 번호를 쓰세요.

보기

① 萬　　② 大　　③ 長

- 나는 우리 집의 장남입니다. → (　　　　　　)

5일

크기 한자

寸 마디 촌

다음 글을 읽고, 오늘 배울 한자를 확인해 보세요.

삼촌(寸)과 함께 캠핑을 떠났어요.
삼촌(寸)은 손재주가 좋으셔서
텐트도 척척 만들어 주셨어요.
삼촌(寸)이랑 자주 캠핑을 하면 좋겠어요.

오늘 배울 한자

寸

마디 촌

공부한 날 月 日

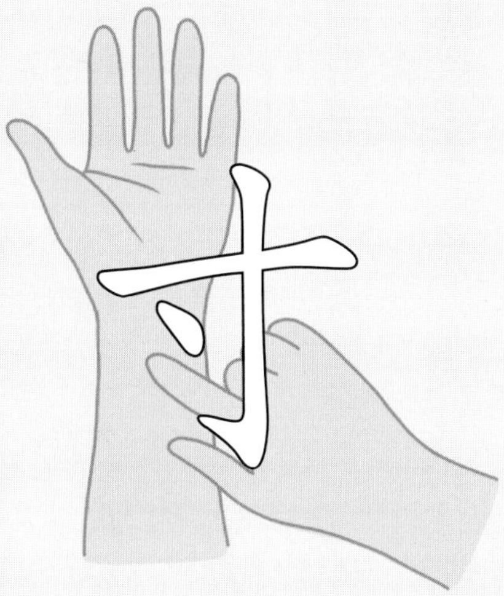

마디 촌

손목에서 맥박이 뛰는 곳까지가 손가락 한 마디라는 데서 **마디**를 뜻하게 되었어요. **짧다**라는 뜻도 있어요.

QR을 보며 따라 써요!

연하게 쓰인 한자를 따라 써 본 후, 빈칸에 바르게 쓰세요.

寸	寸	寸	寸
마디 촌	마디 촌	마디 촌	마디 촌
마디 촌	마디 촌	마디 촌	마디 촌

3주

5일

크기 한자

寸 마디 촌

한자어를 익혀요

이번 주말에 삼촌(三寸)이 온대.
정말요? 와, 신난다!
BAKERY
부웅
오랜만에 만나니까 좋은가 보구나.
네!
삼촌이랑 뭐 하고 싶니?
같이 캠핑도 가고 싶고 축구도 하고 할 게 많아요!
삼촌이 멀리서 오기 때문에 피곤해서 많이 못 놀아 줄지도 몰라.
그럼 외삼촌(外三寸)도 초대하는 건 어떨까요?
외삼촌도 바쁘실 거야.
부웅
그럼 외사촌(外四寸) 형은요?
크…….
끈질긴 우리 아들!

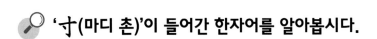

'寸(마디 촌)'이 들어간 한자어를 알아봅시다.

촌 한글로 써 보아요.

寸 한자로 써 보아요.

삼

아버지의 남자 형제

三

석 **삼**

외 삼

어머니의 남자 형제

外 三

바깥 **외** 석 **삼**

외 사

어머니 친형제의 아들이나 딸

外 四

바깥 **외** 넉 **사**

5일 크기 한자

寸 마디 촌

기초 실력을 키워요

1 그림 속의 뜻과 음(소리)에 알맞은 한자를 **보기** 에서 찾아 그 번호를 쓰세요.

보기

① 長　　② 寸　　③ 大

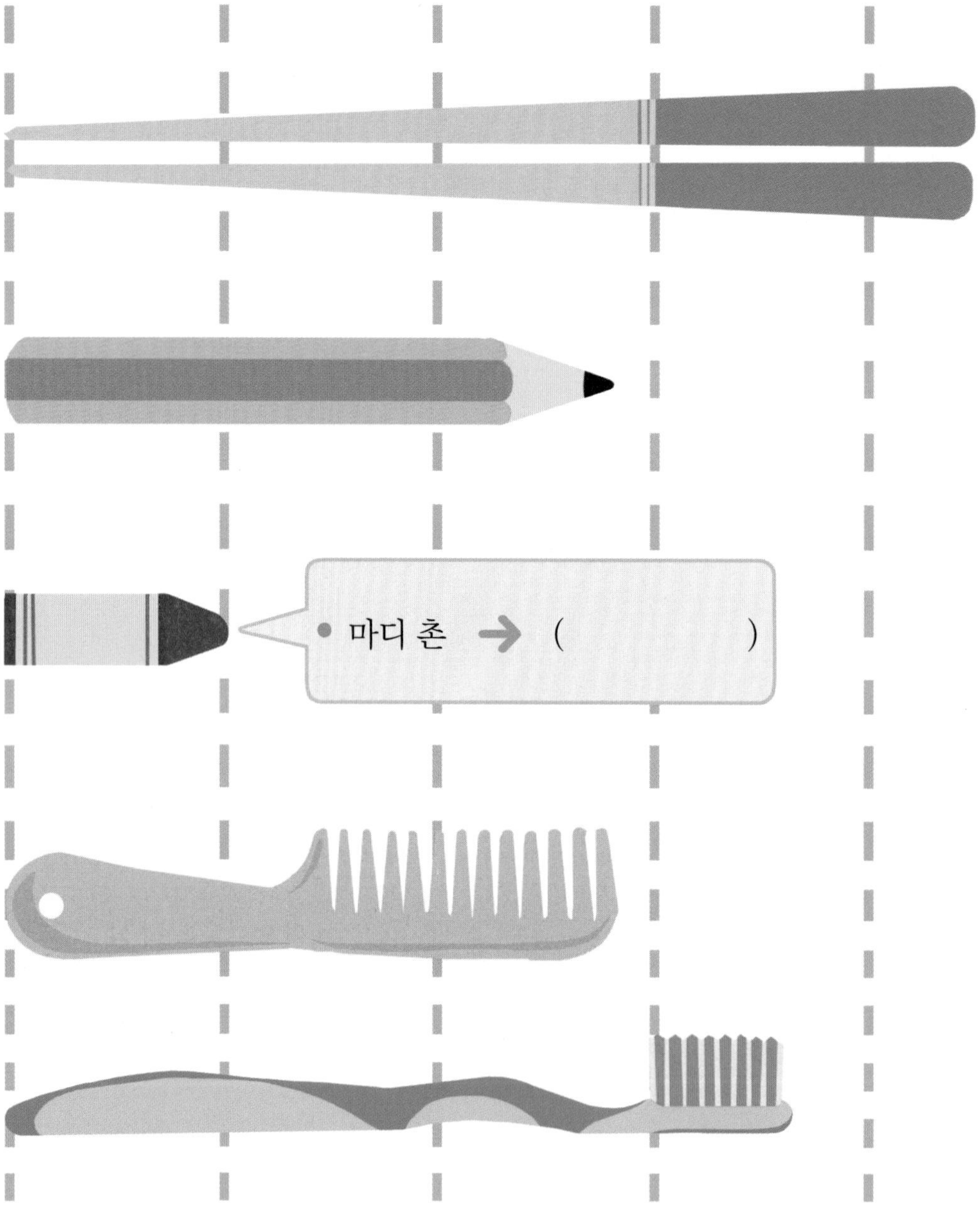

• 마디 촌 → (　　　　)

아하! 이렇게 푸는구나!

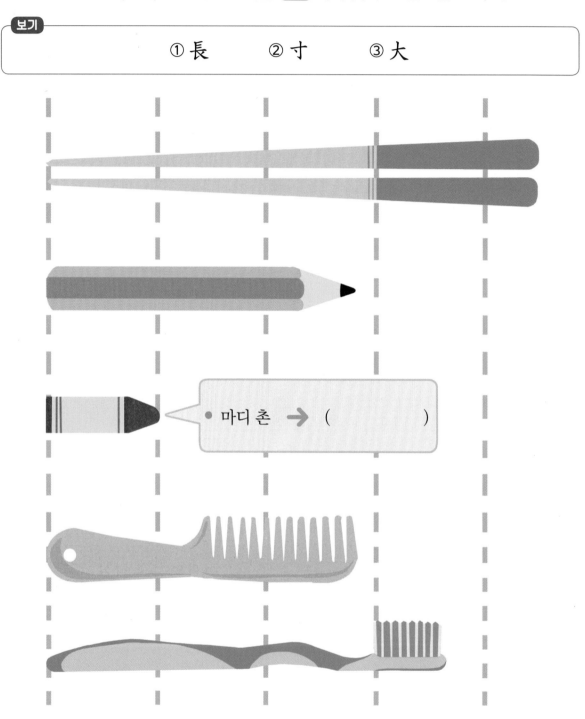

'마디 촌'은 손목에서 맥박이 뛰는 곳까지가 손가락 한 마디라는 데서 '마디'라는 뜻이 생겼어요.

어휘 확인

2 낱말판에서 설명 에 해당하는 낱말을 찾아 ◯표 하세요.

수	삼	외
만	지	사
각	자	촌

설명

어머니 친형제의 아들이나 딸

급수 유형

3 다음 뜻에 알맞은 한자를 보기 에서 찾아 그 번호를 쓰세요.

보기

① 大 ② 寸 ③ 萬

- 마디 → (　　　　　)

급수 유형

4 다음 한자의 음(소리)을 보기 에서 찾아 그 번호를 쓰세요.

보기

① 소 ② 촌 ③ 만

- 寸 → (　　　　　)

3주 누구나 100점 TEST

1 다음 ☐ 안에 들어갈 한자에 ○표 하세요.

☐일 상상이 현실이 된다면 어떨까?

大 / 萬

2 다음 밑줄 친 한자의 음(소리)을 쓰세요.

글짓기 <u>大</u>회가 열렸습니다. → (　　　　　　)

3 다음 그림이 나타내는 한자를 찾아 선으로 이으세요.

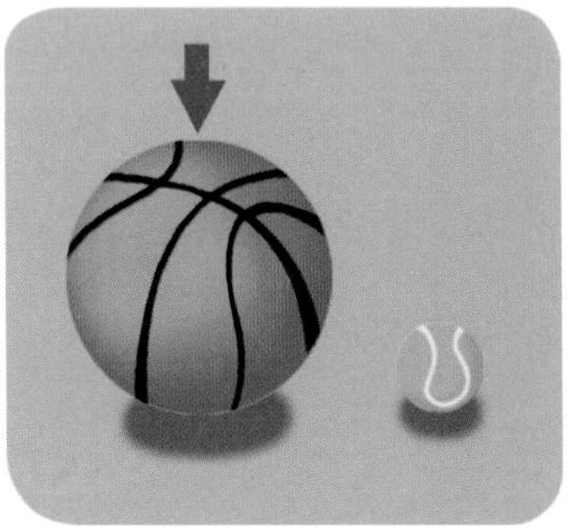

• 小

• 大

4 보기 와 같이 다음 한자의 뜻과 음(소리)을 쓰세요.

보기

大 → 큰 대

• 小 → (　　　　　　)

맞은 개수 /8개

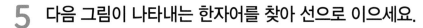

5 다음 그림이 나타내는 한자어를 찾아 선으로 이으세요.

- 弱小 (약소)
- 小食 (소식)

6 다음 밑줄 친 음(소리)에 해당하는 한자를 보기 에서 찾아 그 번호를 쓰세요.

보기

① 小　　② 長　　③ 寸

- 진선이는 집안의 장남으로 태어났습니다. → (　　　　)

3주

7 다음 밑줄 친 한자의 음(소리)을 쓰세요.

스마트폰을 長시간 사용하지 않도록 노력해야 합니다.

→ (　　　　)

8 다음 밑줄 친 음(소리)에 해당하는 한자를 보기 에서 찾아 그 번호를 쓰세요.

보기

① 九　　② 寸　　③ 長

- 외삼촌과 함께 나들이를 했습니다. → (　　　　)

창의·융합·코딩

생각을 키워요 1

국어+한문 다음 만화를 읽고, 성어의 뜻을 생각해 보세요.

大器晚成

큰 대 그릇 기 늦을 만 이룰 성

학예회 준비는 잘되고 있니?
응. 난 합창 연습을 하고 있어. 넌 무엇을 준비하고 있어?
난 연극을 준비하고 있어.
그렇구나. 연극 연습은 잘되니? 난 합창에 소질이 없나 봐.
왜 그런 생각이 들었어?
합창 연습을 하는데 나 혼자 박자를 틀렸거든.
박자 틀렸잖아. 하늘아!
너 박치구나!
악보집
악보집

힘을 내. 대기만성
이라는 말이 있잖아.
맞아.
열심히 노력하면
좀 늦더라도 합창을
잘하게 될 거야.
힘이 되는 말을 해
줘서 고마워! 합창
연습을 해 볼까?
악보집
연습하다가
어딜 가는 거야?
대기만성이라 했으니
우선 친구들이랑 놀러 가려고.
합창은 나중에 잘하게 될 거야.
에휴. 노력을 해야
이루어지지.

◆ 성어의 뜻을 살펴보며 빈칸에 알맞은 한자를 채우세요.

대	기	만	성
□	器	晩	成

→ '큰 그릇은 늦게 이루어진다.'라는 뜻으로, 서두르지 않고 노력하면 늦게라도 뜻을 이룰 수 있음을 이르는 말

창의·융합·코딩

생각을 키워요 ②

코딩+한문 암호문을 해독하여 한자의 뜻과 음(소리)을 완성하고 한자를 써 보세요.

방법

- 기호에 해당하는 글자를 빈칸에 넣어 보세요.
- 빈칸의 한자의 뜻과 음(소리)을 완성한 후, 한자를 써 보세요.
- '일만 만'의 예시를 참조하여 문제를 풀어 보세요.

암호

★	◎	◆	△	▣	☆
소	큰	촌	만	작	디

▲	○	♣	■	♡	□
긴	일	대	을	장	마

예시

○	△	△
일	만	만

萬

◐ 정답 16쪽

문제 1

▣	■	★

↓

		소

➡

문제 2

□	☆	◆

↓

	디	

➡

문제 3

▲	♡

↓

➡

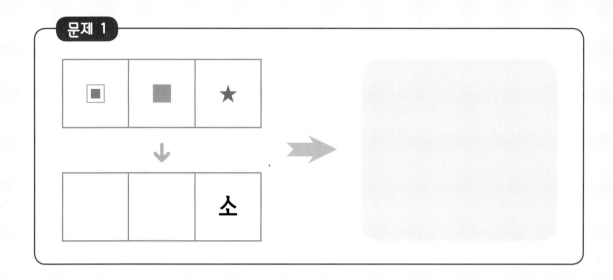

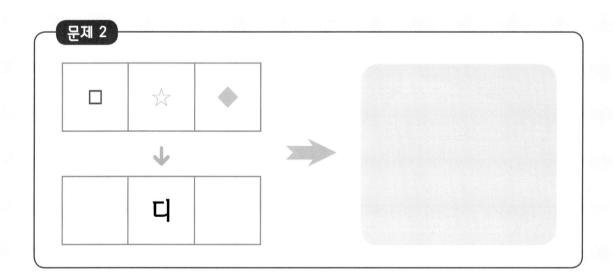

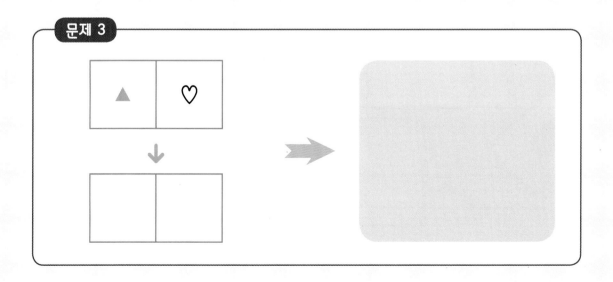

3주

창의·융합·코딩

생각을 키워요 ③

수학+한문 다음 그림은 하늘이의 방의 모습입니다. 그림을 보고, 물음에 답해 보세요.

12
3
6
9

◐ 정답 16쪽

1 다음 두 친구의 대화를 읽으며 그림에 알맞은 한자 붙임 딱지를 붙여 보세요.

붙임 딱지 185쪽

하늘이 방에는 여러 가지 물건들이 있네.

방에 있는 물건들의 크기를 비교해 볼까?

방에서 가장 크기가 큰 물건은 침대야.

그럼 곰 인형과 공의 크기를 비교해 볼까?

곰 인형은 공보다 크고[大], 공은 곰 인형보다 작아[小].

그럼 크레파스와 자의 길이를 비교해 볼까?

크레파스는 자보다 길이가 짧고[寸], 자는 크레파스보다 길어[長].

2 다음 학생이 내는 퀴즈의 정답으로 알맞은 한자를 쓰세요.

하늘이 방에 있는 시계와 창문 중에 어떤 것이 더 클까? 시계가 창문보다 크면 '大' 자를, 시계가 창문보다 작으면 '小' 자를 써 봐.

답

3주

4주 4주에는 무엇을 공부할까? ①

바름아,
엄마 심부름 좀 해 줄래?
네, 알겠어요.
여기 목록이 있어. 여기에서
사 오면 된단다.
심부름 목록
• 우리 집의 東南쪽에 있는 마트에서 소금 사 오기
• 우리 집의 西쪽에 있는 과일 가게에서 사과 사 오기
• 우리 집의 北西쪽에 있는 분식 가게에서 떡볶이 사 오기
심부름 목록
• 우리 집의 東南쪽에 있는 마트에서 소금 사 오기
• 우리 집의 西쪽에 있는 과일 가게에서 사과 사 오기
• 우리 집의 北西쪽에 있는 분식 가게에서 떡볶이 사 오기
다녀오겠습니다.

이번 주에는 어떤 한자를 공부할까?

1일 東 동녘 동
2일 西 서녘 서
3일 南 남녘 남
4일 北 북녘 북 / 달아날 배
5일 中 가운데 중

바름아, 어디 가니? 같이 갈까?
응. 엄마가 심부름 목록을 주셨는데, 지금 보니 한자가 있어.
한자를 색칠해 봐!
東
와! 한글로 바뀌었다!
심부름 목록
• 우리 집의 동남쪽에 있는 마트에서 소금 사 오기
• 우리 집의 서쪽에 있는 과일 가게에서 사과 사 오기
• 우리 집의 북서쪽에 있는 분식 가게에서 떡볶이 사 오기
이제 심부름 자신 있어!
가는 김에 내 간식도 좀 사 주면 안 될까?

4주

4주

4주에는 무엇을 공부할까? ②

✪ 이번 주에 배울 한자들이 그림 속에 숨어 있어요. 보기를 참고해서 한자를 찾아보세요.

보기
東 동녘 동　西 서녘 서　南 남녘 남　北 북녘 북　中 가운데 중

분식집
西
中
南

◐ 정답 17쪽

北
東
MART

1일

방향 한자

東 동녘 동

다음 글을 읽고, 오늘 배울 한자를 확인해 보세요.

아빠와 함께 동(東)대문에 갔어요.
동(東)대문은 서울의 동(東)쪽에 있는 큰 문이라는 뜻에서 지어진 이름이에요.
동(東)대문은 보물로 지정되어 있는 소중한 문화유산이랍니다.

오늘 배울 한자
東
동녘 동

동녘 동

보따리를 꽁꽁 묶어 놓은 모습을 본뜬 글자예요. 후에 의미가 변하여 해가 떠오르는 동쪽을 뜻하게 되었어요.

QR을 보며 따라 써요!

연하게 쓰인 한자를 따라 써 본 후, 빈칸에 바르게 쓰세요.

東	東	東	東
동녘 동	동녘 동	동녘 동	동녘 동
동녘 동	동녘 동	동녘 동	동녘 동

4주

東 동녘 동

한자어를 익혀요

아빠, 여기가 어디예요?
언제까지 걸어야 해요?
헉
헉
조금 더 가면 멋진 곳이
나오니까 힘내 보자.
우아,
정말 멋있어요!
조선 시대 서울의 네 개의
문 중 동문(東門)인 흥인지문이야.
흔히 동대문(東大門)이라고
부르지.
동대문은 서울의
동방(東方)에
위치한단다.
아빠, 다른
문에도 가 보고 싶어요!
어서 출발해요!
하하.
다음에 보면 안 될까?
힘든데…….

'東(동녘 동)'이 들어간 한자어를 알아봅시다.

동 한글로 써 보아요.

東 한자로 써 보아요.

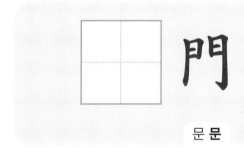

한글	한자
○ 문 성곽의 동쪽에 있는 문	□ 門 문 문
○ 대문 서울 동쪽의 큰 성문	□ 大門 큰 대 문 문
○ 방 동쪽. 해가 떠오르는 쪽	□ 方 모 방

東 동녘 동

기초 실력을 키워요

1 다음 과녁에 제시된 한자 중에서 '동녘'을 뜻하는 한자를 찾아 ○표 하세요.

萬
長
東

아하! 이렇게 푸는구나!

해가 떠오르는 쪽을 뜻하는 글자를 찾아보세요.

기초 집중 연습

어휘 확인

2 낱말판에서 설명 에 해당하는 낱말을 찾아 ○표 하세요.

동	해	만
대	소	촌
문	장	양

설명

서울 동쪽의 큰 성문

급수 유형

3 보기 와 같이 다음 한자의 뜻과 음(소리)을 쓰세요.

보기

萬 → 일만 **만**

- 東 → (　　　　　)

급수 유형

4 다음 밑줄 친 음(소리)에 해당하는 한자를 보기 에서 찾아 그 번호를 쓰세요.

보기

① 月　　② 水　　③ 東

- 해가 떠오르는 쪽이 <u>동</u>방입니다. → (　　　　　)

4주

2일

방향 한자

西 서녘 서

다음 글을 읽고, 오늘 배울 한자를 확인해 보세요.

오늘 배울 한자
西
서녘 서

가족과 함께 서(西)해로 여름 휴가를 갔어요.
갯벌에서 조개도 캐고, 게도 잡았어요.
바다에 풍덩 빠져서 더운 여름을
이겨 내니 기분이 상쾌했어요.
바다에 오는 데 시간은 오래 걸렸지만
정말 즐거운 하루였어요.

공부한 날 月 日

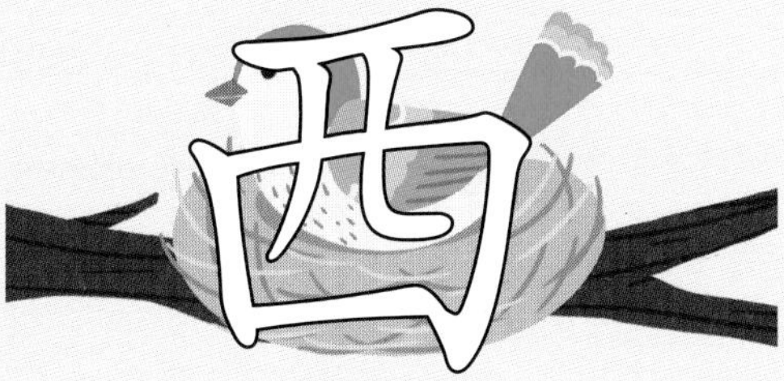

서녘 서

새가 둥지에 앉은 모습을 본뜬 글자예요. 해가 넘어갈 때 새가 둥지로 돌아온다는 데서 **서쪽**을 뜻하게 되었어요.

QR을 보며 따라 써요!

연하게 쓰인 한자를 따라 써 본 후, 빈칸에 바르게 쓰세요.

西	西	西	西
서녘 **서**	서녘 **서**	서녘 **서**	서녘 **서**
서녘 **서**	서녘 **서**	서녘 **서**	서녘 **서**

4주

西 서녘 서

한자어를 익혀요

친구들은 방학을
잘 보내고 있을까?
연락해 봐야겠다.
바다야, 오랜만이야! 난 가족들과
함께 동해안으로 휴가를 왔어.
난 서해(西海)로 왔는데.
우리 동서(東西)로 각각
휴가를 왔구나!
노을 보이니?
지금 서산(西山)으로
해가 지고 있어.
우아! 멋지다!
나도 내일 아침에 동해
일출을 보여 줄게!
안 돼. 나 늦잠 자야
한단 말이야.
으이구.

'西(서녘 서)'가 들어간 한자어를 알아봅시다.

서 한글로 써 보아요.

西 한자로 써 보아요.

( ) 해

우리나라 서쪽에 있는 바다

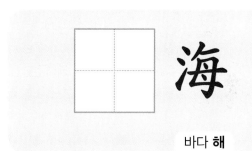

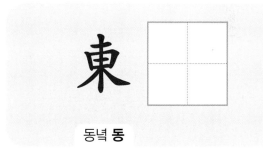

( ) 海

바다 **해**

동 ( )

동쪽과 서쪽

東 ( )

동녘 **동**

( ) 산

서쪽에 있는 산

( ) 山

메 **산**

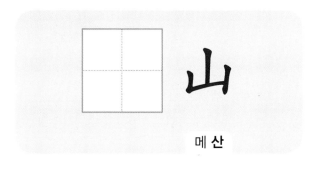

西 서녘 서

기초 실력을 키워요

1 친구들이 동물원에 가려고 합니다. 길에 적힌 한자 중에서 '서녘 서'에 ○표를 하여 친구들이 동물원에 도착할 수 있게 해 보세요.

'서녘 서' 글자를
4개 찾으면 동물원에
도착할 수 있어.
二
五
大
十
寸
萬
二
四
東
四
五
東
長
ZOO
西
三
西
小
八
西
二
五
萬
九
十
西
출발
五
八
九

아하! 이렇게 푸는구나!

'서녘 서'는 새가 둥지에 앉은 모양을 본뜬 글자예요.

◐ 정답 18쪽

어휘 확인

2 다음에서 '동쪽과 서쪽'을 뜻하는 낱말을 찾아 ○표 하세요.

동서

서산

서해

급수 유형

3 다음 한자의 뜻을 보기 에서 찾아 그 번호를 쓰세요.

보기

① 마디　　② 서녘　　③ 아홉

• 西 → (　　　　　)

급수 유형

4 다음 밑줄 친 한자의 음(소리)을 쓰세요.

동<u>西</u>로 난 도로에 자동차가 달립니다. → (　　　　　)

3일

방향 한자

南 남녘 남

다음 글을 읽고, 오늘 배울 한자를 확인해 보세요.

지구 온난화로 지구의 온도가 높아지면서
북극과 남(南)극의 빙하가 녹고 있어요.
빙하를 옮겨 다니며 먹이를 구하는 북극곰은
삶의 터전을 잃어 가고 있어요.
지구 온난화를 막기 위해
우리가 해야 할 일은 무엇일까요?

오늘 배울 한자
南
남녘 남

공부한 날 月 日

南

남녘 남

종 모습을 본뜬 글자예요. 고대 중국의 남쪽 민족이 종을 사용하였다는 데서 **남쪽**을 뜻하게 되었어요.

QR을 보며 따라 써요!

연하게 쓰인 한자를 따라 써 본 후, 빈칸에 바르게 쓰세요.

南	南	南	南
남녘 남	남녘 남	남녘 남	남녘 남
남녘 남	남녘 남	남녘 남	남녘 남

4주

南 남녘 남

한자어를 익혀요

지구 온난화로 북극곰이 살 곳을 잃어 가고 있습니다.
NEWS
북극곰은 어디에 살지?
북극곰은 북극에 살지.
북극? 그럼 남극도 있는 거야?
그럼! 남극은 남반구(南半球)에 위치한 대륙이야.
북극곰이 살 곳이 없어진다니. 안타까워.
우리나라 남부(南部) 지방에도 폭염이 계속 되고 있잖아.
남극에 북극곰의 집을 지어 주러 가자.
벌떡
어떻게 남극에 갈 거야?
흠……. 배를 타고 남방(南方)으로 향하면 갈 수 있겠지?
너다운 생각이다.

'南(남녘 남)'이 들어간 한자어를 알아봅시다.

남 한글로 써 보아요.

南 한자로 써 보아요.

반 구

지구의 남쪽 부분

半 球

반 **반** 공 **구**

부

어떤 지역의 남쪽 부분

部

떼 **부**

방

남쪽 방향

方

모 **방**

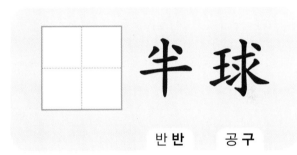

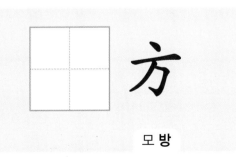

南 남녘 남

기초 실력을 키워요

1 그림 속 한자의 뜻과 음(소리)을 보기 에서 찾아 그 번호를 쓰세요.

보기

① 동녘 동　　② 서녘 서　　③ 남녘 남

東 → (　　)
西 → (　　)
南 → (　　)

아하! 이렇게 푸는구나!

'동녘 동'은 보따리를 꽁꽁 묶어 놓은 모습을, '서녘 서'는 새가 둥지에 앉은 모습을, '남녘 남'은 종 모양을 본뜬 글자예요.

어휘 확인

2 다음에서 '남부'의 뜻을 바르게 말한 학생에 ○표 하세요.

어떤 지역의
남쪽 부분
남쪽 방향
지구의
남쪽 부분

급수 유형

3 다음 밑줄 친 음(소리)에 해당하는 한자를 보기 에서 찾아 그 번호를 쓰세요.

보기

① 南　② 西　③ 萬

• 남극은 <u>남</u>반구에 있습니다. → (　　　　)

급수 유형

4 보기 와 같이 다음 한자의 뜻과 음(소리)을 쓰세요.

보기

東 → 동녘 동

• 南 → (　　　　)

4일

방향 한자

北 북녘 북 / 달아날 배

다음 글을 읽고, 오늘 배울 한자를 확인해 보세요.

우리 할아버지의 고향은 북(北)한이에요.

통일 전망대에서 북(北)녘땅이 가까이 보였어요.

북(北)녘땅을 바라보면서 어서 통일이 되면 좋겠다고 생각했어요.

오늘 배울 한자
北
북녘 북 /
달아날 배

공부한 날 月 日

北

북녘 북 / 달아날 배

두 사람이 서로 등지고 있는 모습을 나타낸 글자로, 해를 등진 방향인 **북쪽**을 뜻해요. **달아나다**라는 뜻일 때는 '배'로 읽어요.

QR을 보며 따라 써요!

연하게 쓰인 한자를 따라 써 본 후, 빈칸에 바르게 쓰세요.

北	北	北	北
북녘 북/달아날 배	북녘 북/달아날 배	북녘 북/달아날 배	북녘 북/달아날 배
북녘 북/달아날 배	북녘 북/달아날 배	북녘 북/달아날 배	북녘 북/달아날 배

4주

4일

방향 한자

北 북녘 북 달아날 배

한자어를 익혀요

태풍이 한반도로 북상(北上)한다는 소식 들었니?
휘잉
휭
응. 강력한 태풍이라고 해서 걱정이야.
맞아. 남북(南北) 전체에 많은 비가 내릴 거래.
가족과 여행을 가려고 계획했는데 못 갈 것 같아.
우리 가족은 다행히 지난 주말에 통일 전망대로 여행을 다녀왔어.
통일 전망대? 북한(北韓)이 보이는 곳에 다녀왔구나?
응. 할아버지 고향이 북한이거든.
그렇구나. 난 여행도 못 가는데 뭘 할 수 있을까?
여행을 못 가는 건 아쉽지만 태풍에는 무엇보다 안전이 중요해.
덜그럭
덜그럭
태풍으로부터 가족을 안전하게 지킬 수 있는 방법을 찾아보는 건 어때?
짜
잔
와! 멋지다!

'北(북녘 북)'이 들어간 한자어를 알아봅시다.

북 한글로 써 보아요.	北 한자로 써 보아요.
( ) 상 북쪽을 향하여 올라감.	□ 上 윗 **상**
남 ( ) 남쪽과 북쪽을 아울러 이르는 말	南 □ 남녘 **남**
( ) 한 대한민국의 휴전선 북쪽 지역	□ 韓 한국/나라 **한**

北 북녘 북 / 달아날 배

기초 실력을 키워요

1 사다리를 타고 내려가 한자의 음(소리)에 알맞은 글자를 선으로 연결해 보세요.

동
서
남
북
北
西
東
南

아하! 이렇게 푸는구나!

'동, 서, 남, 북'은 방향을 나타내는 한자예요. 사다리를 타고 내려가면 한자를 확인할 수 있어요.

어휘 확인

2 다음 내용이 맞으면 'O', 틀리면 '✕'에 색칠하세요.

'北上(북상)'은 '북쪽을 향하여 올라감.'을 뜻합니다.

O
✕

급수 유형

3 다음 뜻에 알맞은 한자를 보기 에서 찾아 그 번호를 쓰세요.

보기

① 北　　② 南　　③ 東

- 북녘 → (　　　　)

급수 유형

4 다음 밑줄 친 한자어의 음(소리)을 쓰세요.

<u>南北</u>으로 다리가 길게 뻗어 있습니다. → (　　　　)

5일

방향 한자

中 가운데 중

다음 글을 읽고, 오늘 배울 한자를 확인해 보세요.

학교에서 축구 대회가 열렸어요.
나는 우리 팀 중(中)앙 수비수를 맡아 부지런히 공격을 막았어요.
선생님께서는 열심히 감독 역할을 해 주셨어요.
우리 반이 축구 대회에서 우승한다면
정말 기쁠 것 같아요.

오늘 배울 한자
中
가운데 중

공부한 날 月 日

中

가운데 중

군사 진영의 중앙에 꽂혀 있는 깃발의 모습을 본뜬 글자로, 가운데를 뜻해요.

QR을 보며 따라 써요!

연하게 쓰인 한자를 따라 써 본 후, 빈칸에 바르게 쓰세요.

中	中	中	中
가운데 중	가운데 중	가운데 중	가운데 중
가운데 중	가운데 중	가운데 중	가운데 중

4주

5일 방향 한자

中 가운데 중

한자어를 익혀요

왜 이렇게 기운이 없니?
어제 축구 경기에서 우리 팀이 1대 0으로 졌거든.
상대 팀은 어떤 팀이었는데?
중소(中小) 규모의 팀이야.
상대편 공격수를 내가 중간(中間)에서 막았어야 했는데 놓치면서 실점을 했지 뭐야.
타
앗
그랬구나. 다음 경기에서는 잘할 수 있을 거야.
고마워.
더 열심히 연습해서 우승 트로피를 수중(手中)에 꼭 넣고 말 거야.

'中(가운데 중)'이 들어간 한자어를 알아봅시다.

중 한글로 써 보아요.

中 한자로 써 보아요.

( ) 소

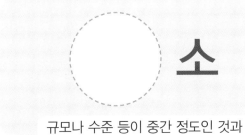

규모나 수준 등이 중간 정도인 것과 그 이하인 것

( ) 小

작을 **소**

( ) 간

두 사물의 사이

( ) 間

사이 **간**

수 ( )

손 안

手 ( )

손 **수**

中 가운데 중

기초 실력을 키워요

1 친구들이 물고기를 잡고 있습니다. 물고기를 잡기 위해서는 '가운데 중' 자가 쓰인 곳에 낚시 바늘을 던져야 합니다. 그림에서 '가운데 중' 자를 찾아 색칠해 보세요.

西
中
北
東

아하! 이렇게 푸는구나!

'가운데 중'은 군사 진영의 가운데에 펄럭이는 깃발의 모습을 본뜬 글자예요.

기초 집중 **연습**

어휘 확인

2 다음 뜻에 해당하는 낱말을 찾아 선으로 이으세요.

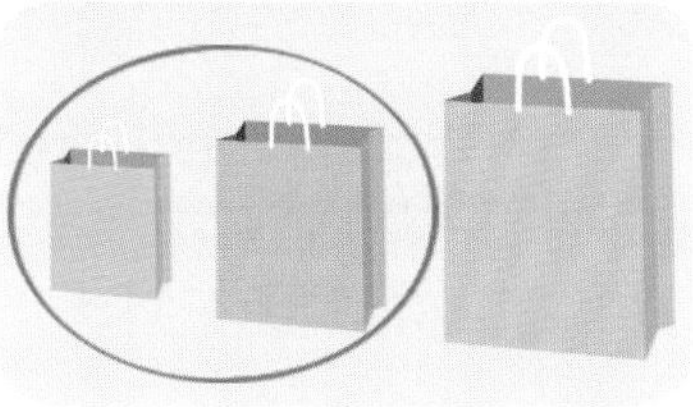

규모나 수준 등이 중간 정도인 것과 그 이하인 것	두 사물의 사이	손 안
•	•	•
•	•	•
중소	수중	중간

급수 유형

3 다음 한자의 뜻을 보기 에서 찾아 그 번호를 쓰세요.

보기

① 동녘　　② 서녘　　③ 가운데

- 中 → (　　　　　)

급수 유형

4 다음 밑줄 친 음(소리)에 해당하는 한자를 보기 에서 찾아 그 번호를 쓰세요.

보기

① 南　　② 西　　③ 中

- 두 지역의 <u>중</u>간에서 만나기로 약속했습니다. → (　　　　　)

4주 누구나 100점 TEST

1 다음 밑줄 친 한자의 음(소리)을 쓰세요.

東해로 휴가를 떠났습니다.

→ (   )

2 다음 □ 안에 들어갈 한자에 ○표 하세요.

□산으로 해가 지고 있습니다.

中 / 西

3 보기 와 같이 다음 한자의 뜻과 음(소리)을 쓰세요.

보기

東 → 동녘 동

- 西 → (   )

4 다음에서 '북녘'을 뜻하는 한자를 찾아 색칠하세요.

北 東 西

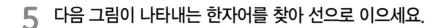

5 다음 그림이 나타내는 한자어를 찾아 선으로 이으세요.

• 東門 (동문)

• 中間 (중간)

6 다음 한자의 음(소리)을 보기 에서 찾아 그 번호를 쓰세요.

보기

① 서　　② 남　　③ 북

• 南 → (　　　　)

7 다음 밑줄 친 말에 해당하는 한자를 보기 에서 찾아 그 번호를 쓰세요.

보기

① 東　　② 西　　③ 南

• 태풍이 남쪽을 통과하여 북상하고 있습니다. → (　　　　)

8 다음 밑줄 친 한자의 음(소리)을 쓰세요.

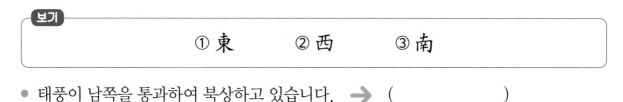

용돈을 모두 써서 수中에 돈이 없습니다. → (　　　　)

4주

4주 특강 생각을 키워요 1

창의·융합·코딩

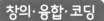

국어+한문 다음 만화를 읽고, 성어의 뜻을 생각해 보세요.

東 問 西 答

동녘 동 물을 문 서녘 서 대답 답

이번 주말에 여행 가자.
네, 좋아요! 그런데 학교 숙제가 있어요.
언제까지 해야 하는 숙제니?
다음 주 월요일까지 해야 해요.
금요일 저녁
걱정하지 마. 아빠가 네 숙제 주말 전까지 마칠 수 있게 도와줄게.
우아, 아빠 최고!
짠~
아빠! 숙제 도와주세요.
여기 있던 아빠 여행 가방이…….

아빠! 정말 동문서답
이라더니.
울먹
울먹
엉뚱한 대답을 하시다니
실망이에요.
미안하구나.
흑
흑
아빠가
바빠서 못 도와줬네.
어떤 숙제니?
식물 관찰 일기를
일주일 동안 작성하는
숙제였어요.
괜찮아.
지금부터 차근차근
시작해 보자!
헉!
숙제가 어려운데?
큰일이군.

◆ **성어의 뜻을 살펴보며 빈칸에 알맞은 한자를 채우세요.**

동	문	서	답
□	問	□	答

→ '동쪽을 묻는데 서쪽을 대답한다.'라는 뜻으로, 묻는 질문과 전혀 상관없는 엉뚱한 방향으로 대답함을 이르는 말

4주 특강 생각을 키워요 ❷

창의·융합·코딩

코딩+한문 명령어를 사용하여 토끼가 과일을 먹을 수 있는 길을 찾아보세요.

명령어

- 東 오른쪽으로 이동하기
- 西 왼쪽으로 이동하기
- 南 아래로 이동하기
- 北 위로 이동하기

규칙

- '토끼'만 이동시킬 수 있습니다.
- 한 번에 한 칸만 이동할 수 있습니다.
- 색칠이 되어 있는 칸으로는 이동할 수 없습니다.
- 가장 빠른 길을 찾도록 노력해 보세요.

예시를 참고하여
제시된 문제를 풀어
봅시다.

예시

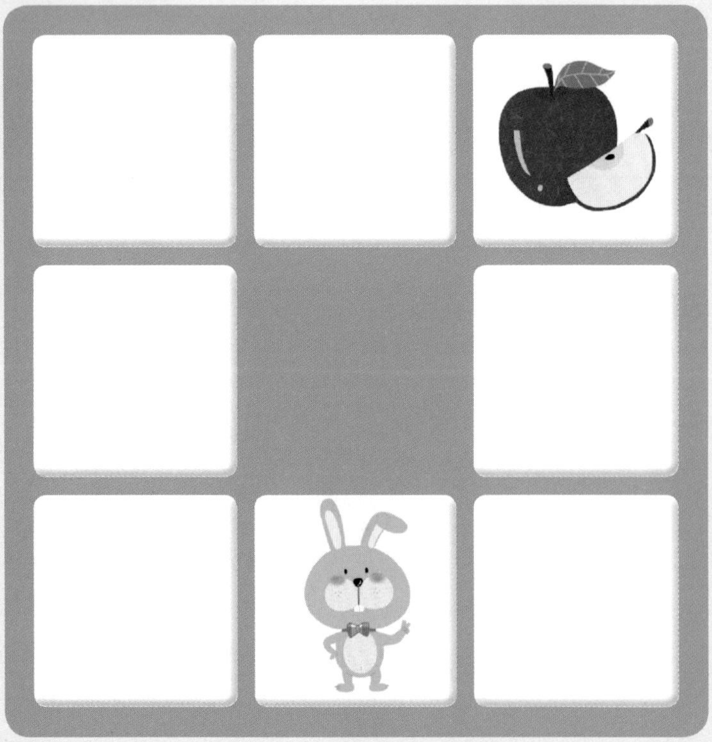

답안

東 北 北

문제 1

답안

문제 2

답안

4주 특강 생각을 키워요 ③

창의·융합·코딩

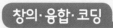

📖 사회+한문 하늘이는 다음과 같이 동네 지도를 그렸습니다. 지도를 보고, 다음 물음에 답해 보세요.

문구점
119
시청
나
서점

1 다음 두 친구의 대화를 읽으며 ☐에 알맞은 한자를 쓰세요.

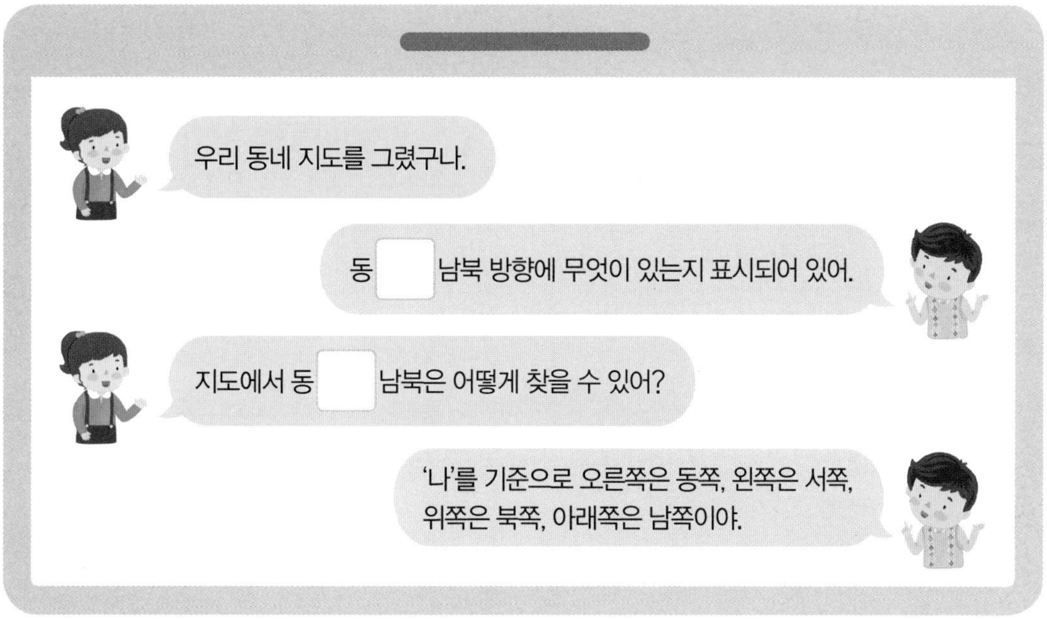
우리 동네 지도를 그렸구나.
동 ☐ 남북 방향에 무엇이 있는지 표시되어 있어.
지도에서 동 ☐ 남북은 어떻게 찾을 수 있어?
'나'를 기준으로 오른쪽은 동쪽, 왼쪽은 서쪽, 위쪽은 북쪽, 아래쪽은 남쪽이야.

2 지도의 ○에 알맞은 한자 붙임 딱지를 붙여 보세요. 붙임 딱지 185쪽

3 다음 빈칸에 들어갈 알맞은 말을 쓰세요.

'나'의 서쪽에는 소방서와 시청이 있고, 동쪽에는 ______ (이)가 있어.

답 ______

4 주

8급 급수 시험 맛보기 1회

[문제 1~3] 다음 글의 [ ] 안에 있는 漢字한자의 讀音(독음: 읽는 소리)을 쓰세요.

보기

日 → 일

1 [三]

( )

2 [寸]과 함께

( )

3 곱셈 구[九]를 공부했습니다.

( )

[문제 4~6] 다음 訓(훈: 뜻)이나 音(음: 소리)에 알맞은 漢字한자를 보기에서 찾아 그 번호를 쓰세요.

보기

① 南 ② 北 ③ 七

4 북녘 ( )

5 남녘 ( )

6 칠 ( )

[문제 7~9] 다음 밑줄 친 말에 해당하는 漢字한자를 보기에서 찾아 그 번호를 쓰세요.

보기

① 二 ② 八 ③ 四

7 행사는 두 시부터 시작합니다.

( )

8 우리 식구는 네 명입니다.

( )

9 거미의 다리는 여덟 개입니다.

( )

[문제 10~12] 다음 漢字한자의 訓(훈: 뜻)과 音(음: 소리)을 쓰세요.

보기

日 → 날 일

10 長 ( )

11 中 ( )

12 小 ( )

◐ 정답 22쪽

[문제 13~15] 다음 漢字한자의 訓(훈: 뜻)을 보기 에서 찾아 그 번호를 쓰세요.

보기
① 열 ② 동쪽 ③ 크다

13 大 ( )

14 東 ( )

15 十 ( )

[문제 16~18] 다음 漢字한자의 音(음: 소리)을 보기 에서 찾아 그 번호를 쓰세요.

보기
① 서 ② 일 ③ 만

16 萬 ( )

17 一 ( )

18 西 ( )

[문제 19~20] 다음 漢字한자의 진하게 표시된 획은 몇 번째 쓰는지 보기 에서 찾아 그 번호를 쓰세요.

보기
① 첫 번째 ② 두 번째
③ 세 번째 ④ 네 번째

19  ( )

20  ( )

8급 급수 시험 맛보기 2회

[문제 1~3] 다음 글의 [ ] 안에 있는 漢字한자의 讀音(독음: 읽는 소리)을 쓰세요.

> 보기
> 日 → 일

1 [五]월에
( )

2 [南]쪽 바다에 놀러 가서
( )

3 [小]형 보트를 탔습니다.
( )

[문제 4~6] 다음 訓(훈: 뜻)이나 音(음: 소리)에 알맞은 漢字한자를 보기에서 찾아 그 번호를 쓰세요.

> 보기
> ① 十 ② 六 ③ 大

4 여섯 ( )

5 대 ( )

6 십 ( )

[문제 7~9] 다음 밑줄 친 말에 해당하는 漢字한자를 보기에서 찾아 그 번호를 쓰세요.

> 보기
> ① 萬 ② 九 ③ 三

7 이 책을 세 번 읽었습니다.
( )

8 용돈으로 만 원을 받았습니다.
( )

9 우리 형은 아홉 살입니다.
( )

[문제 10~12] 다음 漢字한자의 訓(훈: 뜻)과 音(음: 소리)을 쓰세요.

> 보기
> 日 → 날 일

10 一 ( )

11 五 ( )

12 寸 ( )

◐ 정답 22쪽

[문제 13~15] 다음 漢字한자의 訓(훈: 뜻)을 보기에서 찾아 그 번호를 쓰세요.

보기
① 남녘 ② 일곱 ③ 서녘

13 南 (　　　　)

14 七 (　　　　)

15 西 (　　　　)

[문제 16~18] 다음 漢字한자의 音(음: 소리)을 보기에서 찾아 그 번호를 쓰세요.

보기
① 장 ② 이 ③ 팔

16 八 (　　　　)

17 長 (　　　　)

18 二 (　　　　)

[문제 19~20] 다음 漢字한자의 진하게 표시된 획은 몇 번째 쓰는지 보기에서 찾아 그 번호를 쓰세요.

보기
① 첫 번째 ② 두 번째
③ 세 번째 ④ 네 번째

19  (　　　　)

20  (　　　　)

똑똑한 하루 한자 ★ 1단계-A ★

학습 내용 찾아보기

한자

한자어

memo

memo

붙임 딱지

1단계 A

46~47쪽

48~49쪽

一층 二층 三층 四층

90~91쪽

六 七 八 九 十

132~133쪽

大 小 長 寸

174~175쪽

東 西 南 北

숫자 한자

一

한 일

숫자 한자

二

두 이

숫자 한자

三

석 삼

숫자 한자

四

넉 사

한자와 뜻·음(소리)을 쓰세요.

二

二

뜻 ____________

음 ____________

한자와 뜻·음(소리)을 쓰세요.

一

一

뜻 ____________

음 ____________

한자와 뜻·음(소리)을 쓰세요.

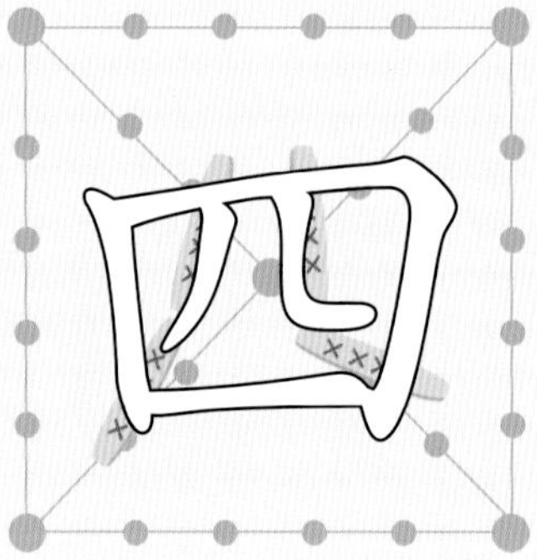
四

四

뜻 ____________

음 ____________

한자와 뜻·음(소리)을 쓰세요.

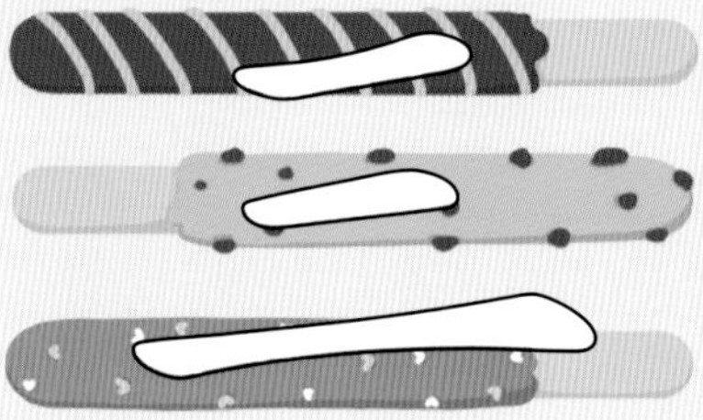
三

三

뜻 ____________

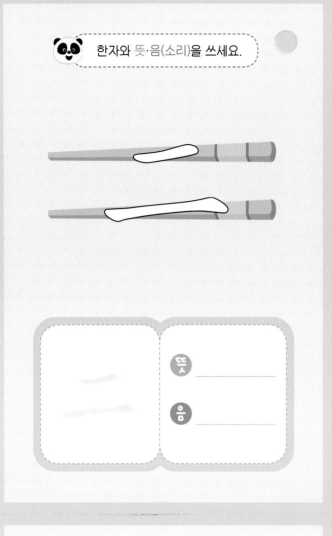

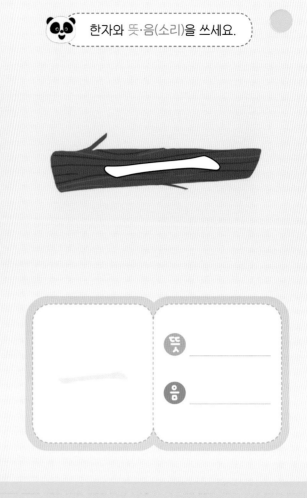

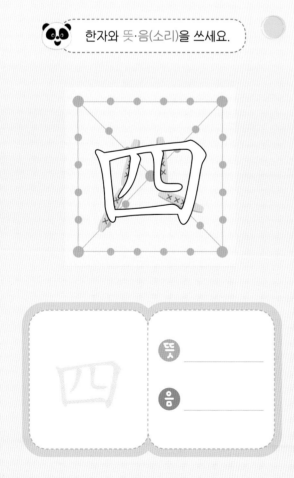

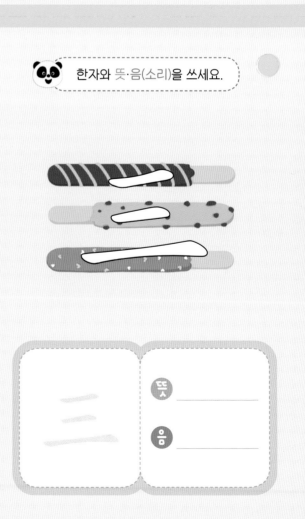

음 ____________

숫자 한자

五

다섯 오

숫자 한자

六

여섯 육

숫자 한자

七

일곱 칠

숫자 한자

八

여덟 팔

한자와 뜻·음(소리)을 쓰세요.

六

六

뜻 ____________

음 ____________

한자와 뜻·음(소리)을 쓰세요.

五

五

뜻 ____________

음 ____________

한자와 뜻·음(소리)을 쓰세요.

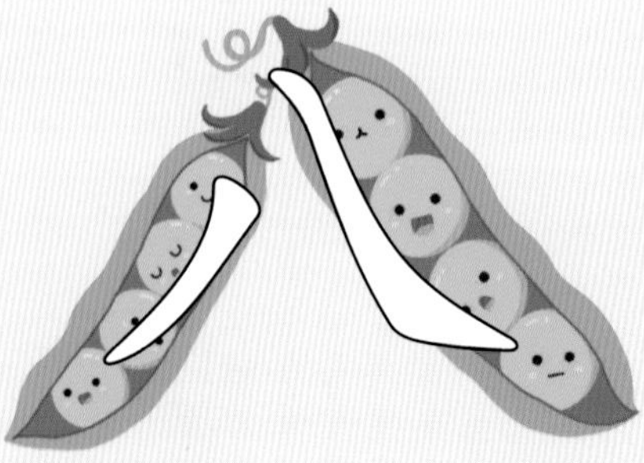
八

八

뜻 ____________

음 ____________

한자와 뜻·음(소리)을 쓰세요.

七

七

뜻 ____________

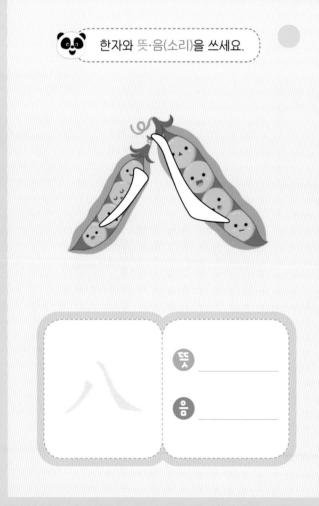

음 ____________

숫자 한자

九

아홉 구

숫자 한자

十

열 십

숫자 한자

萬

일만 만

크기 한자

大

큰 대

한자와 뜻·음(소리)을 쓰세요.

十

十

뜻 ____________

음 ____________

한자와 뜻·음(소리)을 쓰세요.

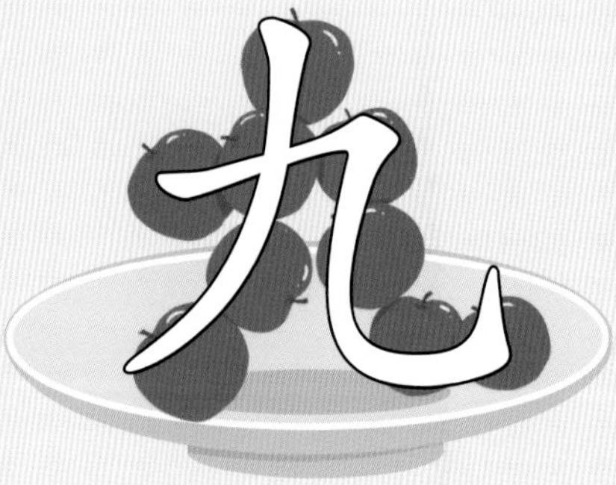
九

九

뜻 ____________

음 ____________

한자와 뜻·음(소리)을 쓰세요.

大

大

뜻 ____________

음 ____________

한자와 뜻·음(소리)을 쓰세요.

萬

萬

뜻 ____________

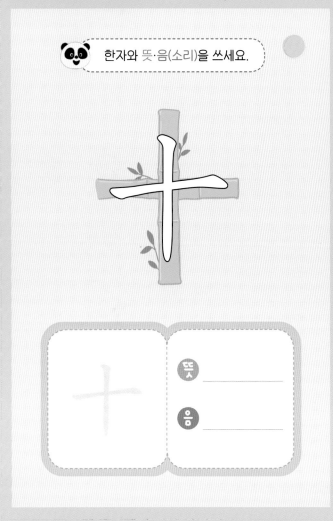

음 ____________

크기 한자

小

작을 소

크기 한자

長

긴 장

크기 한자

寸

마디 촌

방향 한자

東

동녘 동

한자와 뜻·음(소리)을 쓰세요.

長

長

뜻 ____________

음 ____________

한자와 뜻·음(소리)을 쓰세요.

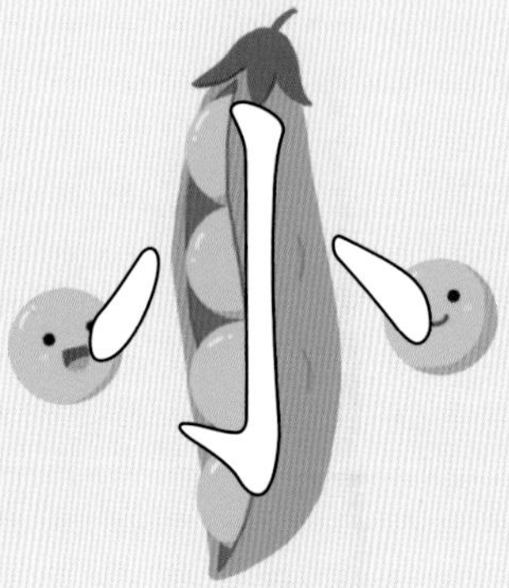
小

小

뜻 ____________

음 ____________

한자와 뜻·음(소리)을 쓰세요.

東

東

뜻 ____________

음 ____________

한자와 뜻·음(소리)을 쓰세요.

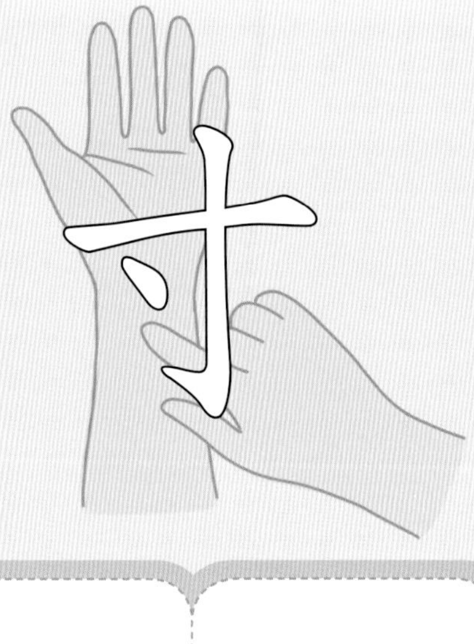
寸

寸

뜻 ____________

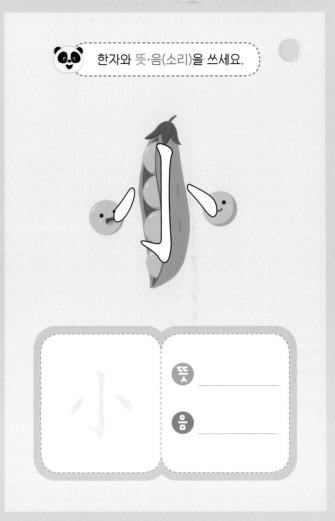

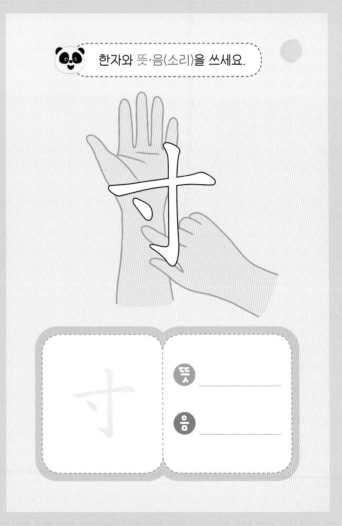

음 ____________

방향 한자

西

서녘 서

방향 한자

南

남녘 남

방향 한자

北

북녘 북/달아날 배

방향 한자

中

가운데 중

한자와 뜻·음(소리)을 쓰세요.

南

南

뜻

음

한자와 뜻·음(소리)을 쓰세요.

西

西

뜻

음

한자와 뜻·음(소리)을 쓰세요.

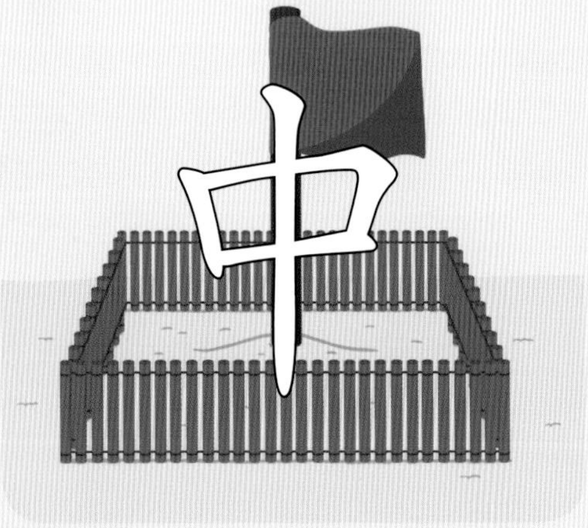
中

中

뜻

음

한자와 뜻·음(소리)을 쓰세요.

北

北

뜻

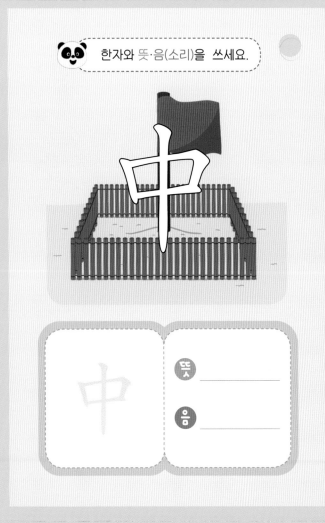

음

꼭 알아야 할
사자성어

水 魚 之 交

물 물고기 갈 사귈

수 어 지 교

물고기에게 물은 정말 소중한 존재이지요.
수어지교란 물고기와 물의 관계처럼,
아주 친밀하여 떨어질 수 없는 사이
또는 깊은 우정을 일컫는 말이랍니다.

똑 똑 한

하루 한자

정답

1단계 A

8급 기초1

천재교육

배운 내용은
꼭꼭 복습하기!

똑 똑 한

하루 한자

정답

1 단계 A

8급 기초1

똑똑한 하루 한자

정답

1주 도입

010~011쪽

1주에는 무엇을 공부할까? ❷

◐ 정답 2쪽

✪ 이번 주에 배울 한자들이 그림 속에 숨어 있어요. 보기를 참고해서 한자를 찾아보세요.

보기 一 한 일　二 두 이　三 석 삼　四 넉 사　五 다섯 오

一 학년 3반
二
덧셈
三
四
五
솜 씨 자 랑

10 • 똑똑한 하루 한자　　1단계-A 1주 • 11

1주 1일

016~017쪽

1일 숫자 한자　一 한 일　기초 실력을 키워요

◐ 정답 2쪽

기초 집중 연습

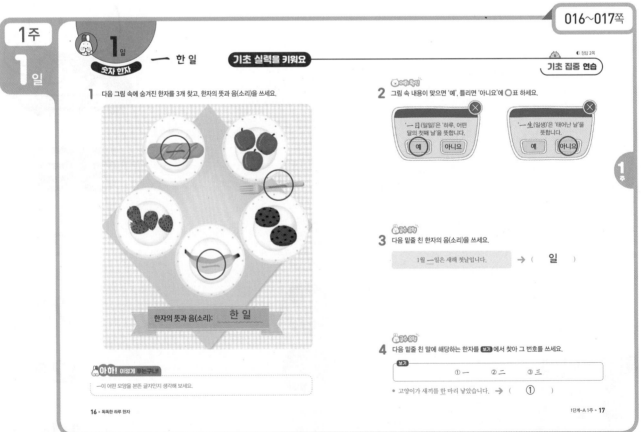

1 다음 그림 속에 숨겨진 한자를 3개 찾고, 한자의 뜻과 음(소리)을 쓰세요.

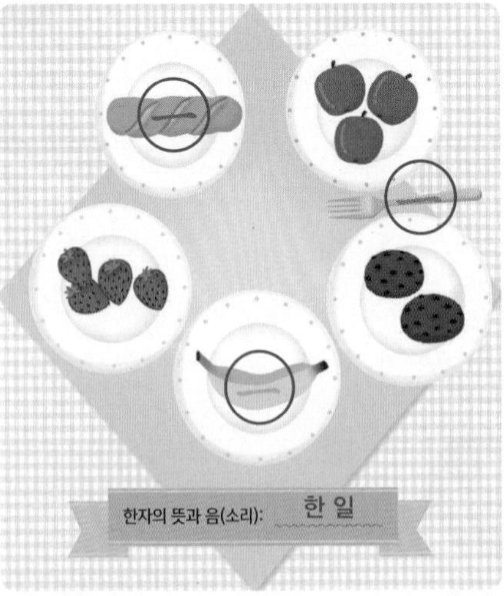

한자의 뜻과 음(소리): 한 일

아하! 이렇게 푸는구나!

一이 어떤 모양을 본뜬 글자인지 생각해 보세요.

어휘 확인

2 그림 속 내용이 맞으면 '예', 틀리면 '아니요'에 ○표 하세요.

'一日(일일)'은 '하루, 어떤 달의 첫째 날'을 뜻합니다. → (예)

'一生(일생)'은 '태어난 날'을 뜻합니다. → (아니요)

급수 유형

3 다음 밑줄 친 한자의 음(소리)을 쓰세요.

1월 一일은 새해 첫날입니다. → (일)

급수 유형

4 다음 밑줄 친 말에 해당하는 한자를 보기에서 찾아 그 번호를 쓰세요.

보기 ① 一　② 二　③ 三

• 고양이가 새끼를 한 마리 낳았습니다. → (①)

16 • 똑똑한 하루 한자　　1단계-A 1주 • 17

022~023쪽

1주 2일

2일 숫자 한자

二 두 이

기초 실력을 키워요

정답 3쪽

기초 집중 연습

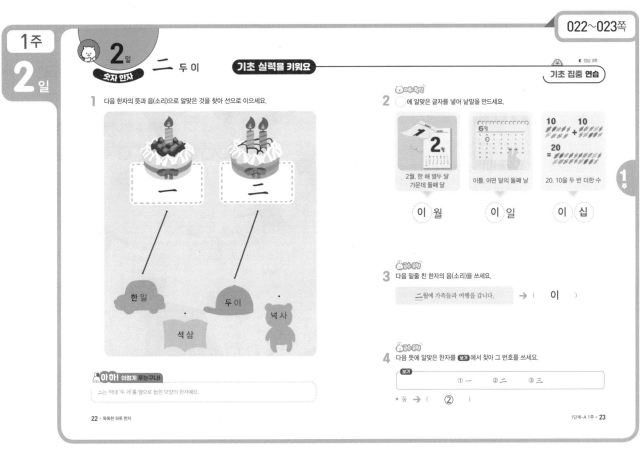

1 다음 한자의 뜻과 음(소리)으로 알맞은 것을 찾아 선으로 이으세요.

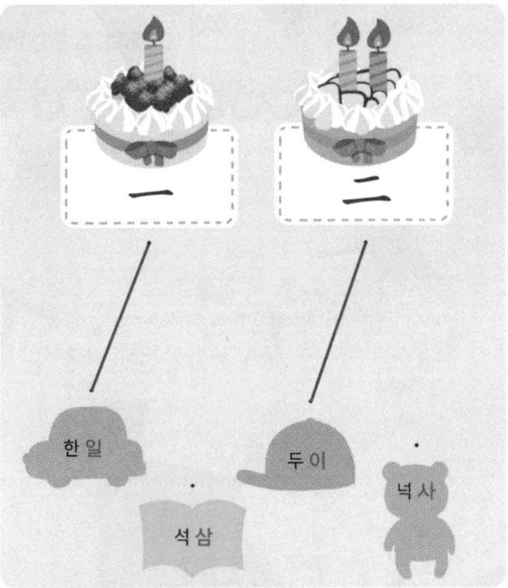

一
二
한 일
두 이
석 삼
넉 사

아하! 이렇게 푸는구나!

二는 막대 '두 개'를 옆으로 놓인 모양의 한자예요.

어휘 확인

2 ◯에 알맞은 글자를 넣어 낱말을 만드세요.

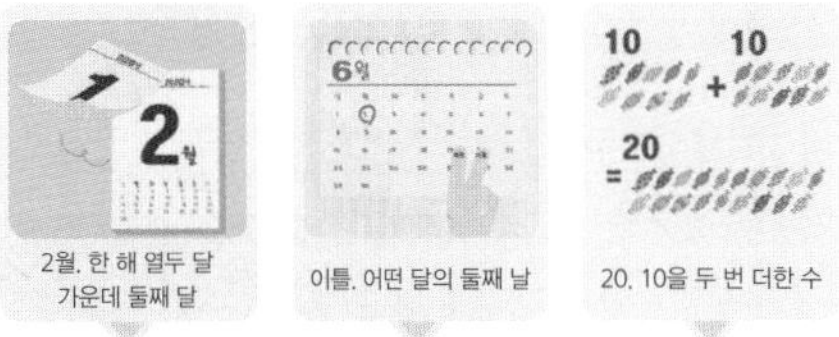

2월, 한 해 열두 달 가운데 둘째 달 — 이 월

이틀, 어떤 달의 둘째 날 — 이 일

20, 10을 두 번 더한 수 — 이 십

급수 유형

3 다음 밑줄 친 한자의 음(소리)을 쓰세요.

二월에 가족들과 여행을 갑니다. → (이)

급수 유형

4 다음 뜻에 알맞은 한자를 보기에서 찾아 그 번호를 쓰세요.

보기: ① 一 ② 二 ③ 三

• 둘 → (②)

028~029쪽

1주 3일

3일 숫자 한자

三 석 삼

기초 실력을 키워요

정답 3쪽

기초 집중 연습

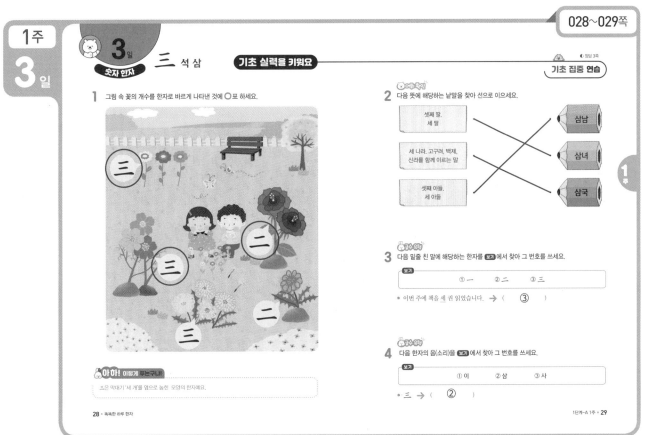

1 그림 속 꽃의 개수를 한자로 바르게 나타낸 것에 ◯표 하세요.

三
三
二
二
三

아하! 이렇게 푸는구나!

三은 막대기 '세 개'를 옆으로 놓인 모양의 한자예요.

어휘 확인

2 다음 뜻에 해당하는 낱말을 찾아 선으로 이으세요.

뜻	낱말
셋째 딸, 세 딸	삼녀
세 나라. 고구려, 백제, 신라를 함께 이르는 말	삼국
셋째 아들, 세 아들	삼남

급수 유형

3 다음 밑줄 친 말에 해당하는 한자를 보기에서 찾아 그 번호를 쓰세요.

보기: ① 一 ② 二 ③ 三

• 이번 주에 책을 세 권 읽었습니다. → (③)

급수 유형

4 다음 한자의 음(소리)을 보기에서 찾아 그 번호를 쓰세요.

보기: ① 이 ② 삼 ③ 사

• 三 → (②)

똑똑한 하루 한자
정답

034~035쪽

1주 4일

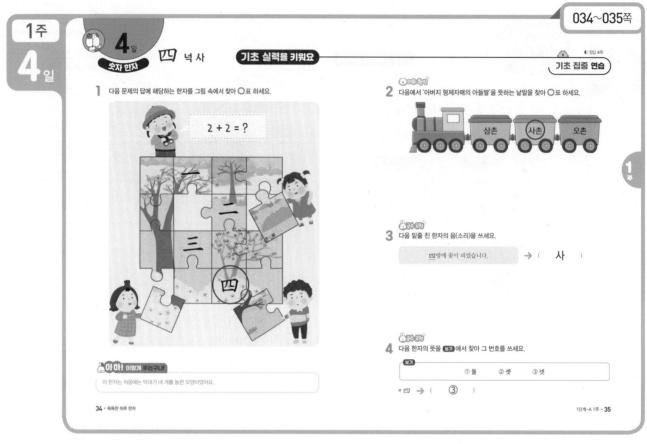

4일 숫자 한자 四 넉 사 **기초 실력을 키워요**

기초 집중 연습 ◐ 정답 4쪽

1 다음 문제의 답에 해당하는 한자를 그림 속에서 찾아 ○표 하세요.

2 + 2 = ?
一
二
三
四

아하! 이렇게 푸는구나!

이 한자는 처음에는 막대기 네 개를 눕힌 모양이었어요.

어휘 확인

2 다음에서 '아버지 형제자매의 아들딸'을 뜻하는 낱말을 찾아 ○표 하세요.

삼촌
사촌
오촌

급수 유형

3 다음 밑줄 친 한자의 음(소리)을 쓰세요.

四방에 꽃이 피었습니다. → (사)

급수 유형

4 다음 한자의 뜻을 보기에서 찾아 그 번호를 쓰세요.

보기: ① 둘 ② 셋 ③ 넷

• 四 → (③)

040~041쪽

1주 5일

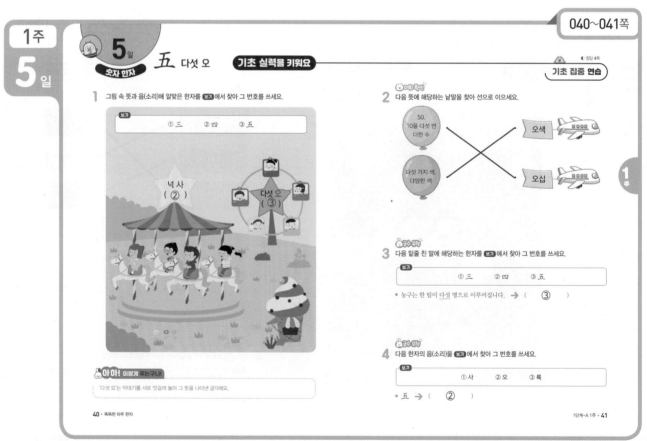

5일 숫자 한자 五 다섯 오 **기초 실력을 키워요**

기초 집중 연습 ◐ 정답 4쪽

1 그림 속 뜻과 음(소리)에 알맞은 한자를 보기에서 찾아 그 번호를 쓰세요.

보기: ① 三 ② 四 ③ 五

넉 사
(②)
다섯 오
(③)

아하! 이렇게 푸는구나!

'다섯 오'는 막대기를 서로 엇갈려 놓아 그 뜻을 나타낸 글자예요.

어휘 확인

2 다음 뜻에 해당하는 낱말을 찾아 선으로 이으세요.

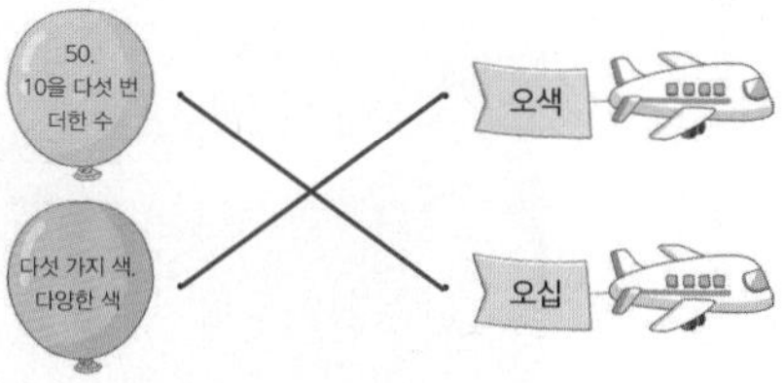

50, 10을 다섯 번 더한 수
다섯 가지 색, 다양한 색
오색
오십

급수 유형

3 다음 밑줄 친 말에 해당하는 한자를 보기에서 찾아 그 번호를 쓰세요.

보기: ① 三 ② 四 ③ 五

• 농구는 한 팀이 다섯 명으로 이루어집니다. → (③)

급수 유형

4 다음 한자의 음(소리)을 보기에서 찾아 그 번호를 쓰세요.

보기: ① 사 ② 오 ③ 륙

• 五 → (②)

1주 TEST

042~043쪽

1주 누구나 100점 TEST

◐ 정답 5쪽

맞은 개수 /8개

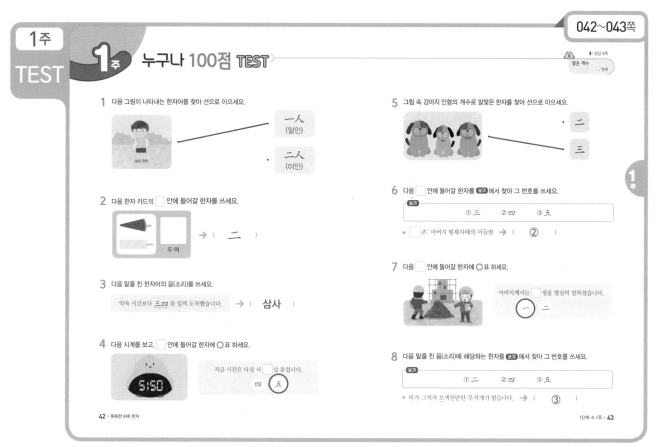

1 다음 그림이 나타내는 한자어를 찾아 선으로 이으세요.

一人 (일인)
二人 (이인)

2 다음 한자 카드의 □ 안에 들어갈 한자를 쓰세요.

두 이 → (二)

3 다음 밑줄 친 한자어의 음(소리)를 쓰세요.

약속 시간보다 三四 분 일찍 도착했습니다. → (삼사)

4 다음 시계를 보고, □ 안에 들어갈 한자에 ○표 하세요.

5:50

지금 시간은 다섯 시 □십 분입니다.

四 (五)

5 그림 속 강아지 인형의 개수로 알맞은 한자를 찾아 선으로 이으세요.

二
三

6 다음 □ 안에 들어갈 한자를 보기 에서 찾아 그 번호를 쓰세요.

보기 ① 三 ② 四 ③ 五

• □촌: 아버지 형제자매의 아들딸 → (②)

7 다음 □ 안에 들어갈 한자에 ○표 하세요.

아버지께서는 □생을 열심히 일하셨습니다.

(一) 二

8 다음 밑줄 친 음(소리)에 해당하는 한자를 보기 에서 찾아 그 번호를 쓰세요.

보기 ① 二 ② 四 ③ 五

• 비가 그치자 오색찬란한 무지개가 떴습니다. → (③)

42 • 똑똑한 하루 한자 / 1단계-A 1주 • 43

1주 특강

044~045쪽

1주 특강 생각을 키워요 ❶

창의·융합·코딩

◐ 정답 5쪽

국어+한문 다음 만화를 읽고, 성어의 뜻을 생각해 보세요.

三 三 五 五

석 삼 석 삼 다섯 오 다섯 오

여러분, 오늘은 동물원에 체험 학습을 왔어요. 재미있게 구경하세요!
안전에 유의하고, 혼자 다니지 말고 삼삼오오 모여 다니도록 해요.
네! 알겠습니다.
난 호랑이를 보고 싶어.
난 원숭이!
정말 기대된다!
우와!

얘네들이 밥 먹는 걸 보니 배가 고파지네.
나도 배가 고파.
이제 점심시간이야!
냠
꼬르륵
얘들아, 우리 도시락 먹자!
그래!
△△ 동물원
이렇게 삼삼오오 짝을 이루어 먹으니 더욱 맛있는 거 같아!
맞아!
냠

◆ 성어의 뜻을 살펴보며 빈칸에 알맞은 한자를 채우세요.

삼	삼	오	오
三	三	五	五

→ '서너 사람 또는 대여섯 사람'이라는 뜻으로, 서너 사람 또는 대여섯 사람이 때를 지어 다니는 모양 또는 여기저기 몇몇씩 흩어져 있는 모양을 이르는 말

44 • 똑똑한 하루 한자 / 1단계-A 1주 • 45

046~047쪽

1주 특강

1주 특강 생각을 키워요 ❷

창의·융합·코딩

◐ 정답 6쪽

코딩+한문 명령어에 따라 이동하여 획득한 보물 수만큼 해당 칸에 보물 붙임 딱지를 붙이고, 총 몇 개의 보물을 획득하였는지 적어 보세요. 붙임 딱지 185쪽

명령어

1. 시작하기
2. '출발' 칸에서 오른쪽으로 4칸 이동하여 보물을 二개 얻습니다.
3. 아래쪽으로 1칸 이동하여 보물을 一개 얻습니다.
4. 왼쪽으로 2칸 이동하여 보물을 三개 얻습니다.
5. 아래칸으로 3칸 이동하여 보물을 五개 얻습니다.
6. 왼쪽으로 1칸, 아래쪽으로 2칸 이동하여 보물을 四개 얻습니다.
7. 오른쪽으로 3칸 이동하여 '도착' 칸에 이릅니다.
8. '도착' 칸에 획득한 보물이 모두 몇 개인지 적습니다.
9. 종료하기

출발
도착
(15)개

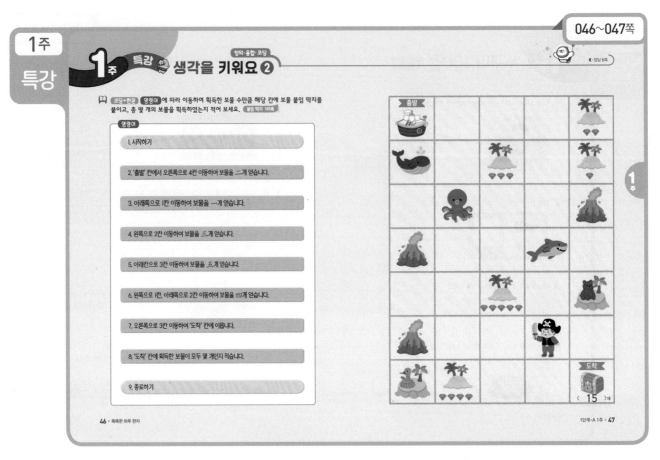

46 • 똑똑한 하루 한자　　　　1단계-A 1주 • 47

048~049쪽

1주 특강

1주 특강 생각을 키워요 ❸

창의·융합·코딩

◐ 정답 6쪽

사회+수학+한문 다음 그림은 하늘이네 학교의 모습입니다. 그림을 보고, 물음에 답해 보세요.

四층
三층
二층
一층
2학년 三반
2학년 四반
과학실
2학년 一반
2학년 二반
음악실
1학년 二반
1학년 三반
1학년 四반
1학년 一반
급식실

1 학교 건물의 층수에 알맞은 한자 붙임 딱지를 붙이세요. 붙임 딱지 185쪽

2 다음 두 친구의 대화에서 □에 알맞은 숫자를 쓰세요.

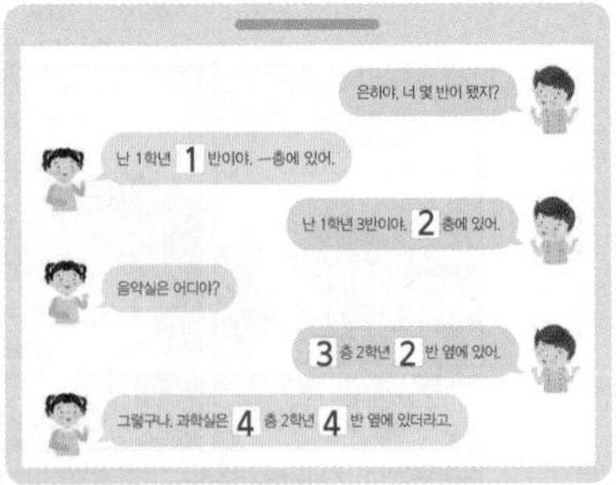
은하야, 너 몇 반이 됐지?
난 1학년 1 반이야. 一층에 있어.
난 1학년 3반이야. 2 층에 있어.
음악실은 어디야?
3 층 2학년 2 반 옆에 있어.
그렇구나. 과학실은 4 층 2학년 4 반 옆에 있더라고.

3 다음 학생이 내는 퀴즈의 정답으로 알맞은 수를 한자로 쓰세요.

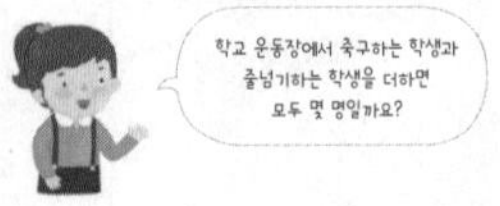
학교 운동장에서 축구하는 학생과
줄넘기하는 학생을 더하면
모두 몇 명일까요?

답 五 명

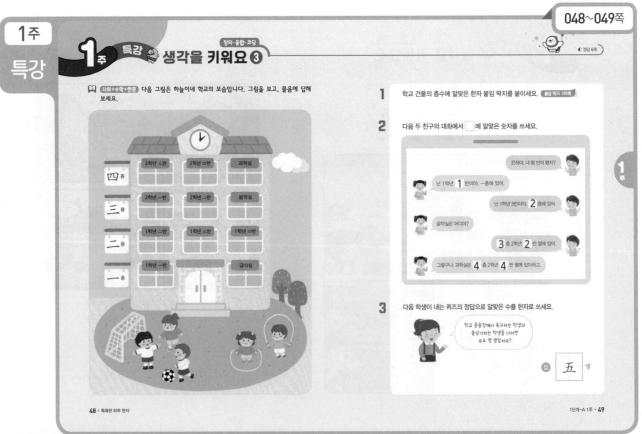

48 • 똑똑한 하루 한자　　　　1단계-A 1주 • 49

2주 도입 — 052~053쪽

2주에는 무엇을 공부할까? ❷

◐ 정답 7쪽

✪ 이번 주에 배울 한자들이 그림 속에 숨어 있어요. 보기 를 참고해서 한자를 찾아보세요.

보기: 六 여섯 륙 七 일곱 칠 八 여덟 팔 九 아홉 구 十 열 십

2주 1일 — 058~059쪽

1일 숫자 한자 六 여섯 륙 **기초 실력을 키워요**

◐ 정답 7쪽 기초 집중 연습

1 다음 두 친구의 대화를 읽고, □에 들어갈 그림으로 알맞은 것에 ○표 하세요.

□ 부분에 막대는 몇 개를 그려야 하지?
□에 들어갈 막대의 개수를 한자로 나타내면 '六'이야.

아하! 이렇게 푸는구나!
태극기 괘의 막대 수는 3, 4, 5, 6개로 구성돼요.

2 ○에 알맞은 글자를 넣어 낱말을 만드세요.

6월. 한 해 열두 달 가운데 여섯째 달	1950년 6월 25일 북한군이 남한을 공격하여 일어난 전쟁	600. 100을 여섯 번 더한 수
유 월	육 이오	육 백

3 다음 한자의 음(소리)을 보기 에서 찾아 그 번호를 쓰세요.

보기: ① 오 ② 륙 ③ 칠

• 六 → (②)

4 다음 밑줄 친 말에 해당하는 한자를 보기 에서 찾아 그 번호를 쓰세요.

보기: ① 四 ② 五 ③ 六

• 내 동생은 여섯 살입니다. → (③)

064~065쪽

2주 2일

2일 숫자 한자 七 일곱 칠 **기초 실력을 키워요**

1 한자 '일곱 칠'이 적힌 행성을 따라가 견우가 직녀를 만날 수 있게 해 주세요.

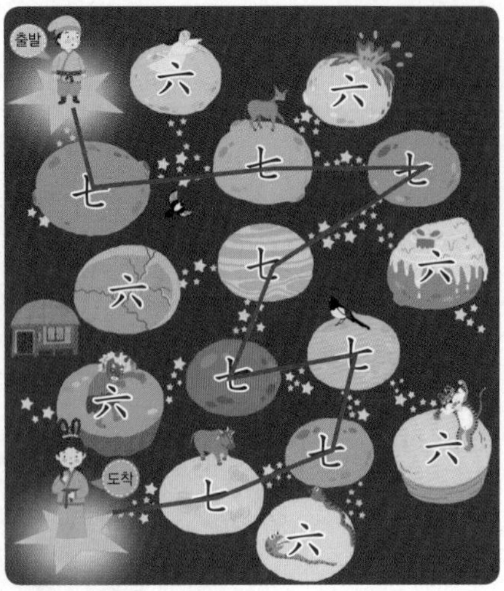
출발
六
六
七
七
七
七
六
六
六
七
七
六
六
七
七
도착
六

아하! 이렇게 푸는구나!
한자 '일곱 칠'은 '十(열 십)'과 구분하려고 끝을 구부려 썼어요.

정답 8쪽
기초 집중 연습

2 그림 속 내용이 맞으면 '예', 틀리면 '아니요'에 ○표 하세요.

'七夕(칠석)'은 '음력 5월 5일'입니다. 예 / (아니요)

'七千(칠천)'은 '1000을 일곱 번 더한 수'를 뜻합니다. (예) / 아니요

3 다음 밑줄 친 한자의 음(소리)을 쓰세요.

수영이는 七일 동안 역사책을 읽었습니다. → (칠)

4 다음 뜻에 알맞은 한자를 보기에서 찾아 그 번호를 쓰세요.

보기 ① 七 ② 六 ③ 五

• 일곱 → (①)

070~071쪽

2주 3일

3일 숫자 한자 八 여덟 팔 **기초 실력을 키워요**

1 두 학생이 잡은 물고기는 각각 몇 마리인지 한자로 쓰세요.

七 마리
八 마리

아하! 이렇게 푸는구나!
여학생은 7마리, 남학생은 8마리를 잡았네요.

정답 8쪽
기초 집중 연습

2 다음 뜻에 해당하는 낱말을 찾아 선으로 이으세요.

뜻	낱말
여러 방향이나 방면	팔방
일곱이나 여덟	칠팔
전국을 여덟 개로 나눈 행정 구역. 우리나라 전체	팔도

3 다음 밑줄 친 한자의 음(소리)을 쓰세요.

우리나라는 八도강산이 아름답습니다. → (팔)

4 다음 뜻에 알맞은 한자를 보기에서 찾아 그 번호를 쓰세요.

보기 ① 六 ② 七 ③ 八

• 문어의 다리는 여덟 개입니다. → (③)

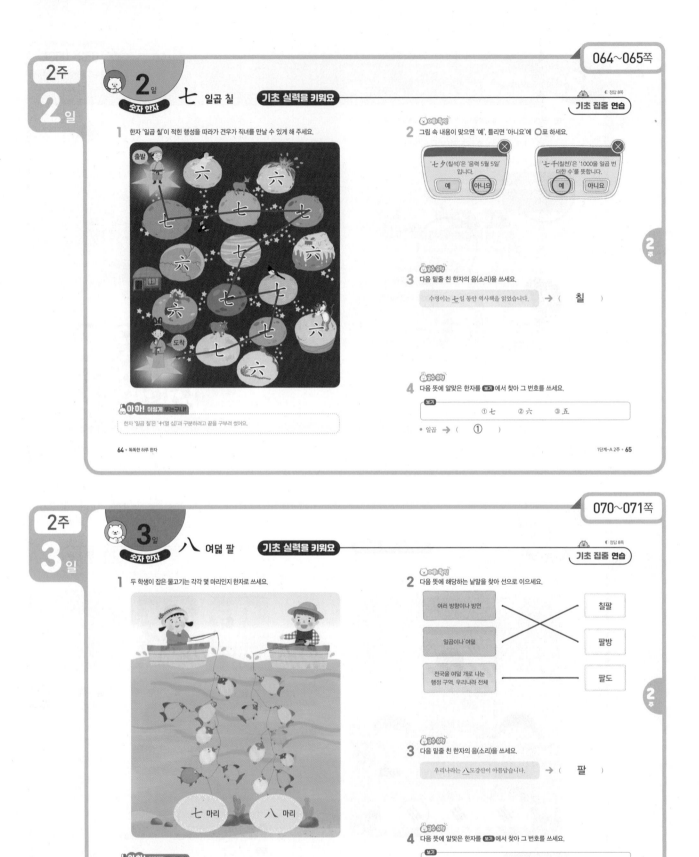

2주 4일

4일 숫자 한자 九 아홉 구 — 기초 실력을 키워요

1 강아지가 가족을 만날 수 있게 1부터 9까지 숫자를 순서대로 이어 길을 만들어 주세요. 그리고 길을 이었을 때 나타난 한자의 뜻과 음(소리)으로 알맞은 것에 ○표 하세요.

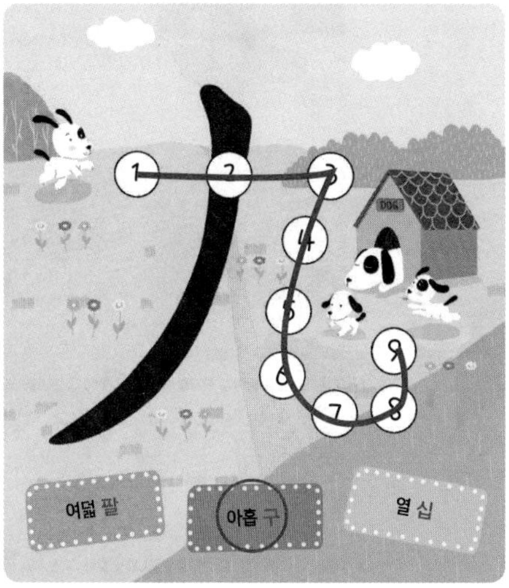
여덟 팔
아홉 구
열 십

아하! 이렇게 푸는구나!
'아홉 개'의 숫자를 이으니 한자가 나타나네요.

정답 9쪽

기초 집중 연습

어휘 확인

2 낱말판에서 설명에 해당하는 낱말을 찾아 ○표 하세요.

구	팔	육
칠	구	백
천	십	만

설명: 90. 10을 아홉 번 더한 수

급수 유형

3 다음 밑줄 친 음(소리)에 해당하는 한자를 보기에서 찾아 그 번호를 쓰세요.

보기: ① 八 ② 九 ③ 十

• 구만리를 난다는 상상의 새가 있습니다. → (②)

급수 유형

4 보기와 같이 다음 한자의 뜻과 음(소리)을 쓰세요.

보기: 六 → 여섯 륙

• 九 → (아홉 구)

2주 5일

5일 숫자 한자 十 열 십 — 기초 실력을 키워요

1 그림 속 뜻과 음(소리)에 알맞은 한자를 □에 쓰세요.

十
열 십

아하! 이렇게 푸는구나!
한자 '열 십'은 세로로 놓인 대나무 모양을 본뜬 글자에 가로선을 더한 모양이에요.

정답 9쪽

기초 집중 연습

어휘 확인

2 다음 뜻에 해당하는 낱말을 찾아 ○표 하세요.

'十' 자와 같은 모양
10000을 열 번 더한 수
일자
십자
십만
백만

급수 유형

3 다음 밑줄 친 한자의 음(소리)을 쓰세요.

용돈을 아껴 써서 十만 원을 모았습니다. → (십)

급수 유형

4 다음 뜻에 알맞은 한자를 보기에서 찾아 그 번호를 쓰세요.

보기: ① 十 ② 九 ③ 八

• 열 → (①)

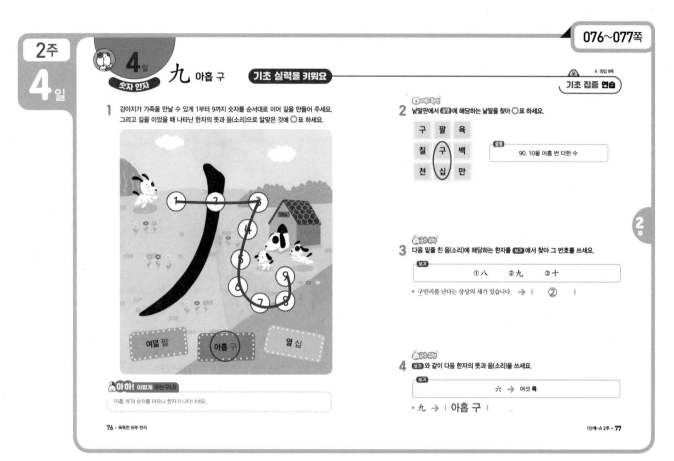

084~085쪽

2주 TEST

2주 누구나 100점 TEST

◐ 정답 10쪽
맞은 개수 /8개

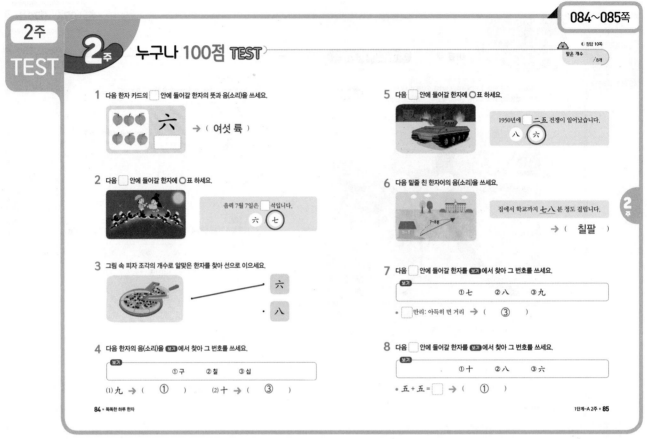

1 다음 한자 카드의 □ 안에 들어갈 한자의 뜻과 음(소리)을 쓰세요.

六 → (여섯 륙)

2 다음 □ 안에 들어갈 한자에 ○표 하세요.

음력 7월 7일은 □석입니다.
六 (七)

3 그림 속 피자 조각의 개수로 알맞은 한자를 찾아 선으로 이으세요.

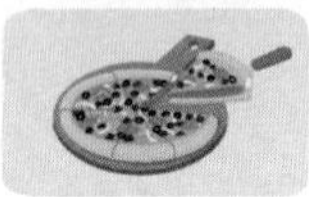

六 · 八 (선: 六)

4 다음 한자의 음(소리)을 보기에서 찾아 그 번호를 쓰세요.

보기 ①구 ②칠 ③십

(1) 九 → (①) (2) 十 → (③)

5 다음 □ 안에 들어갈 한자에 ○표 하세요.

1950년에 □二五 전쟁이 일어났습니다.
八 (六)

6 다음 밑줄 친 한자어의 음(소리)을 쓰세요.

집에서 학교까지 七八분 정도 걸립니다.
→ (칠팔)

7 다음 □ 안에 들어갈 한자를 보기에서 찾아 그 번호를 쓰세요.

보기 ①七 ②八 ③九

• □만리: 아득히 먼 거리 → (③)

8 다음 □ 안에 들어갈 한자를 보기에서 찾아 그 번호를 쓰세요.

보기 ①十 ②八 ③六

• 五 + 五 = □ → (①)

84 • 똑똑한 하루 한자   1단계-A 2주 • 85

086~087쪽

2주 특강

2주 특강 생각을 키워요 ❶

창의·융합·코딩

◐ 정답 10쪽

국어+한문 다음 만화를 읽고, 성어의 뜻을 생각해 보세요.

八 方 美 人
여덟 팔 모 방 아름다울 미 사람 인

바다야, 우리
댕댕이 좀 볼래?
어머,
정말 귀엽다!
손! 앉아!
일어나!
척
척
와, 대단한데?
그렇지? 우리 댕댕이는
정말 못하는 게 없는
팔방미인이야.

정말 그렇네. 그렇다면
우리 애옹이는…….
냐~옹
야옹!
아, 사료
달라고?
야아옹!
물 달라고?
야옹! 야옹!
모래 청소해
달라고?
에고,
바쁘다 바빠!
바다 너는 애옹이 말을
다 알아듣는구나?
후두둑
할짝
야옹! (우리 바다는
정말 못하는 게 없는
팔방미인이다옹!)

◆ 성어의 뜻을 살펴보며 빈칸에 알맞은 한자를 채우세요.

팔	방	미	인
八	方	美	人

→ '어느 모로 보나 아름다운 사람'이라는 뜻으로, 모든 분야에서 두루 뛰어난 사람을 이르는 말

86 • 똑똑한 하루 한자   1단계-A 2주 • 87

2주 특강

2주 특강 생각을 키워요 ❷

창의·융합·코딩

정답 11쪽

코딩+한문 다음 명령어 화살표를 이용하여 규칙에 따라 하나가 문구점, 학원, 놀이터에 갈 수 있도록 해 보세요.

명령어

→ ← ↑ ↓

규칙

- 하나는 숫자 '八' 카드를 가지고 있습니다. 八보다 작은 숫자를 만나면 해당 칸을 지나갈 수 있지만, 八보다 큰 숫자를 만나면 돌아가야 합니다.
- 빈칸과 숫자가 있는 칸만 지나갈 수 있습니다.
- 가장 가까운 길을 찾아가도록 하세요.

출발	九		九		
	六	24시 편의점	七		
九		七	十	九	놀이터
	문구점		六		
十	九	공사중	학원		十

목적지	이동 경로
편의점	예시 ↓ → →

목적지	이동 경로
문구점	↓ → ↓ ↓

목적지	이동 경로
학원	↓ → ↓ → ↓ → ↓

목적지	이동 경로
놀이터	↓ → ↓ → ↓ → → → ↑

2주 특강

2주 특강 생각을 키워요 ❸

창의·융합·코딩

정답 11쪽

수학+한문 다음 내용을 보고, 물음에 답해 보세요.

하늘이네 반 친구들은 모둠별로 과자를 10개씩 만들려고 합니다. 모둠별로 현재까지 만든 과자는 다음과 같습니다. 모둠별로 과자를 얼마나 더 만들어야 할까요?

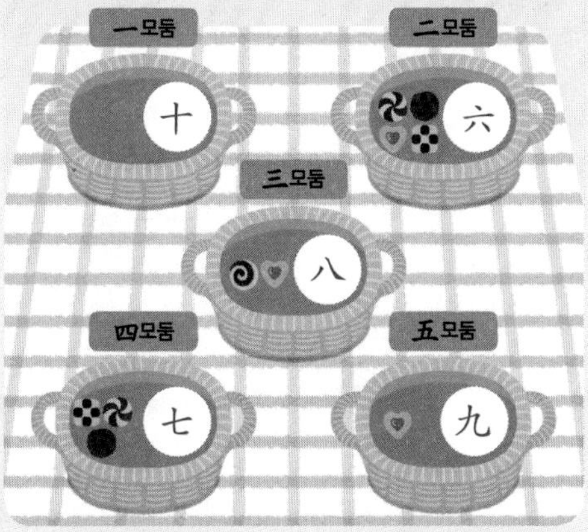

一모둠
十
二모둠
六
三모둠
八
四모둠
七
五모둠
九

1 모둠별로 과자를 10개씩 만들려면 얼마나 더 만들어야 하는지 ◯에 알맞은 한자 붙임 딱지를 붙이세요. 붙임 딱지 185쪽

2 다음 친구들의 대화에서 ☐에 알맞은 숫자를 쓰세요.

지금까지 과자를 가장 많이 만든 모둠은 2 모둠이야.
지금까지 과자를 가장 적게 만든 모둠은 1 모둠이야.

3 다음 학생이 내는 퀴즈의 정답으로 알맞은 수를 한자로 쓰세요.

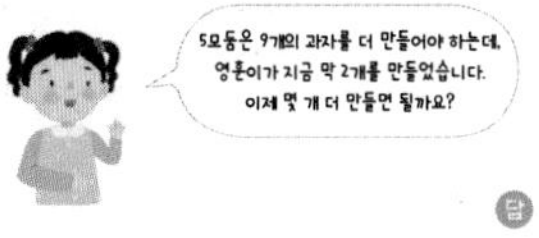

5모둠은 9개의 과자를 더 만들어야 하는데, 영훈이가 지금 막 2개를 만들었습니다. 이제 몇 개 더 만들면 될까요?

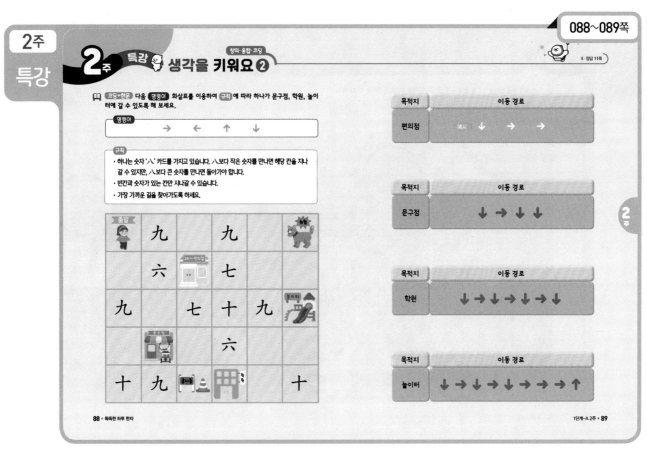

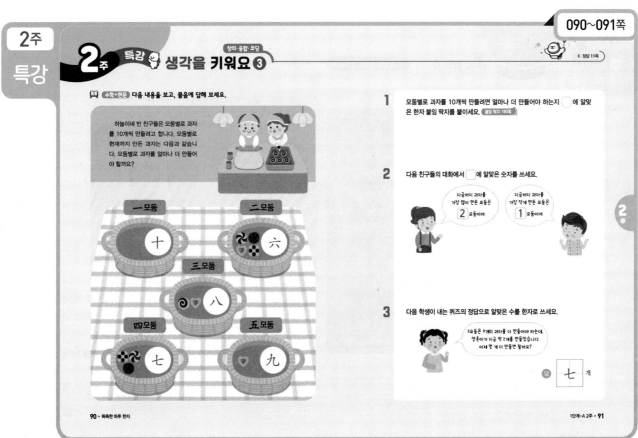

답 七 개

정답

3주 도입

094~095쪽

3주에는 무엇을 공부할까? ②

◐ 정답 12쪽

✪ 이번 주에 배울 한자들이 그림 속에 숨어 있어요. 보기를 참고해서 한자를 찾아보세요.

보기 萬 일만 만 大 큰 대 小 작을 소 長 긴 장 寸 마디 촌

萬
大
長
小
寸

94 • 똑똑한 하루 한자 1단계-A 3주 • 95

3주 1일

100~101쪽

1일 숫자 한자 萬 일만 만 기초 실력을 키워요

◐ 정답 12쪽

기초 집중 연습

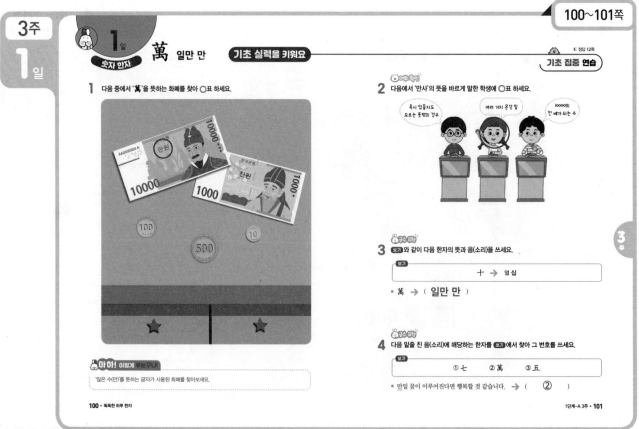

1 다음 중에서 '萬'을 뜻하는 화폐를 찾아 ○표 하세요.

만원
10000
천원
1000
100
500
10

아하! 이렇게 푸는구나!

'많은 수(만)'를 뜻하는 글자가 사용된 화폐를 찾아보세요.

어휘 확인

2 다음에서 '만사'의 뜻을 바르게 말한 학생에 ○표 하세요.

혹시 있을지도 모르는 뜻밖의 경우
여러 가지 온갖 일
10000의 천 배가 되는 수

급수 익힘

3 보기와 같이 다음 한자의 뜻과 음(소리)을 쓰세요.

보기 十 → 열 십

• 萬 → (일만 만)

급수 익힘

4 다음 밑줄 친 음(소리)에 해당하는 한자를 보기에서 찾아 그 번호를 쓰세요.

보기 ① 七 ② 萬 ③ 五

• 만일 꿈이 이루어진다면 행복할 것 같습니다. → (②)

100 • 똑똑한 하루 한자 1단계-A 3주 • 101

3주 2일

106~107쪽

2일 크기 한자

大 큰 대

기초 실력을 키워요

1 친구들이 심부름을 가려고 해요. 크기가 더 큰 과일이 놓인 길을 따라가 미로를 탈출하고, 도착한 곳에 있는 한자를 따라 쓰세요.

출발
도착
大

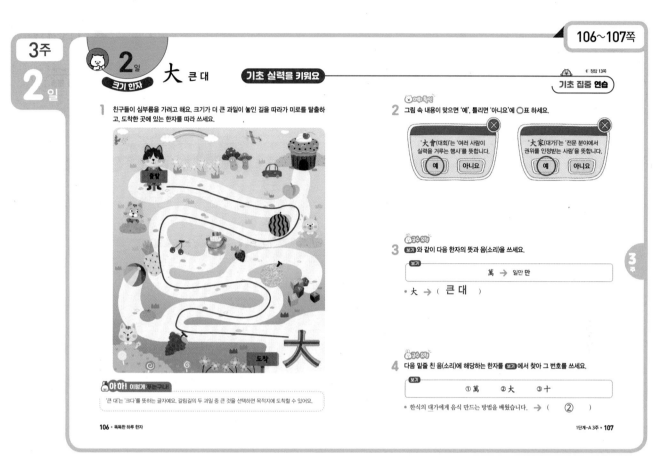

아하! 이렇게 푸는구나!

'큰 대'는 '크다'를 뜻하는 글자예요. 갈림길의 두 과일 중 큰 것을 선택하면 목적지에 도착할 수 있어요.

정답 13쪽

기초 집중 연습

어휘 확인

2 그림 속 내용이 맞으면 '예', 틀리면 '아니요'에 ○표 하세요.

'大會(대회)'는 '여러 사람이 실력을 겨루는 행사'를 뜻합니다. (예) 아니요

'大家(대가)'는 '전문 분야에서 권위를 인정받는 사람'을 뜻합니다. (예) 아니요

급수 유형

3 보기와 같이 다음 한자의 뜻과 음(소리)을 쓰세요.

보기: 萬 → 일만 만

• 大 → (큰 대)

급수 유형

4 다음 밑줄 친 음(소리)에 해당하는 한자를 보기에서 찾아 그 번호를 쓰세요.

보기: ① 萬 ② 大 ③ 十

• 한식의 대가에게 음식 만드는 방법을 배웠습니다. → (②)

3주 3일

112~113쪽

3일 크기 한자

小 작을 소

기초 실력을 키워요

1 장난감을 크기에 따라 정리하고 있어요. 장난감과 바구니를 선으로 이으세요.

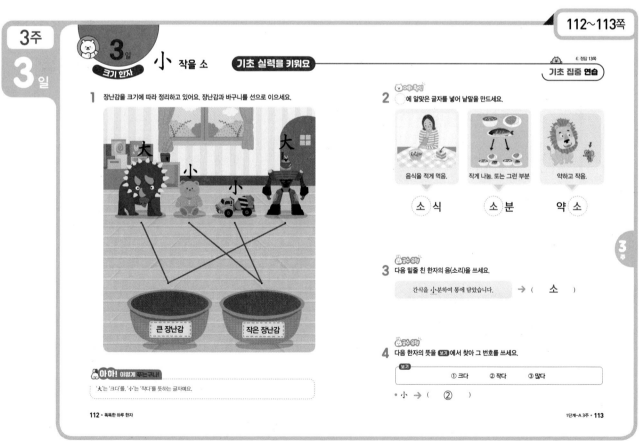

大
小
小
大
큰 장난감
작은 장난감

아하! 이렇게 푸는구나!

'大'는 '크다'를, '小'는 '작다'를 뜻하는 글자예요.

정답 13쪽

기초 집중 연습

어휘 확인

2 ◯에 알맞은 글자를 넣어 낱말을 만드세요.

음식을 적게 먹음.

소식

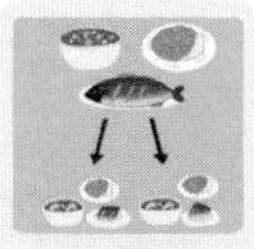

작게 나눔. 또는 그런 부분

소분

약하고 작음.

약소

급수 유형

3 다음 밑줄 친 한자의 음(소리)을 쓰세요.

간식을 小분하여 통에 담았습니다. → (소)

급수 유형

4 다음 한자의 뜻을 보기에서 찾아 그 번호를 쓰세요.

보기: ① 크다 ② 작다 ③ 많다

• 小 → (②)

118~119쪽

3주 4일

4일 크기 한자 長 긴 장

기초 실력을 키워요

1 다양한 종류의 차들이 모여 길이를 뽐내고 있어요. 가장 긴 길이의 차에 ○표 하고 '긴 장(長)' 자를 쓰세요.

長

아하! 이렇게 만들어졌구나!

'긴 장'은 노인의 머리카락이 길게 자라나 있는 모습을 본뜬 글자예요.

정답 14쪽

기초 집중 연습

어휘 확인

2 다음에서 '긴 장(長)'이 들어 있는 낱말을 두 개 찾아 ○표 하세요.

장남
장시간
담장

급수 유형

3 보기 와 같이 다음 한자의 뜻과 음(소리)을 쓰세요.

보기: 萬 → 일만 만

• 長 → (긴 장)

급수 유형

4 다음 밑줄 친 음(소리)에 해당하는 한자를 보기 에서 찾아 그 번호를 쓰세요.

보기: ① 萬 ② 大 ③ 長

• 나는 우리 집의 장남입니다. → (③)

124~125쪽

3주 5일

5일 크기 한자 寸 마디 촌

기초 실력을 키워요

1 그림 속의 뜻과 음(소리)에 알맞은 한자를 보기 에서 찾아 그 번호를 쓰세요.

보기: ① 長 ② 寸 ③ 大

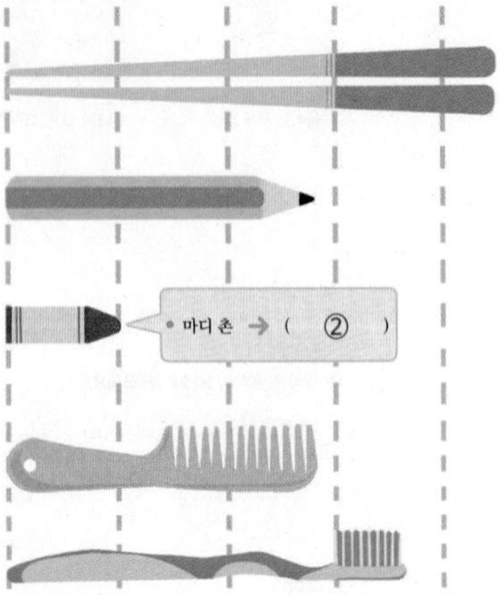
마디 촌 → (②)

아하! 이렇게 만들어졌구나!

'마디 촌'은 손목에서 맥박이 뛰는 곳까지가 손가락 한 마디라는 데서 '마디'라는 뜻이 생겼어요.

정답 14쪽

기초 집중 연습

어휘 확인

2 낱말판에서 설명 에 해당하는 낱말을 찾아 ○표 하세요.

수	삼	외
만	지	사
각	자	촌

설명: 어머니 친형제의 아들이나 딸

(정답: 외사촌)

급수 유형

3 다음 뜻에 알맞은 한자를 보기 에서 찾아 그 번호를 쓰세요.

보기: ① 大 ② 寸 ③ 萬

• 마디 → (②)

급수 유형

4 다음 한자의 음(소리)을 보기 에서 찾아 그 번호를 쓰세요.

보기: ① 소 ② 촌 ③ 만

• 寸 → (②)

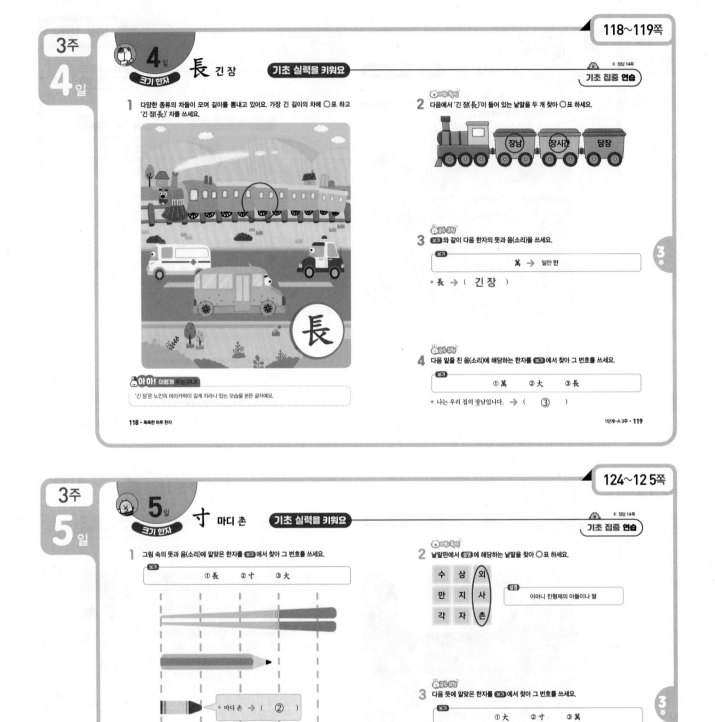

3주 TEST

3주 누구나 100점 TEST

정답 15쪽

맞은 개수 /8개

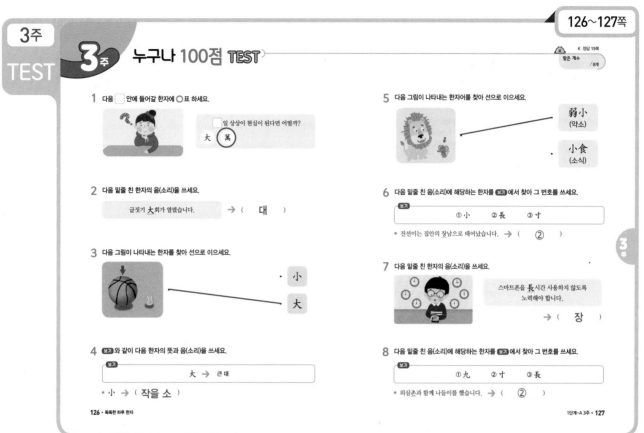

1 다음 ☐ 안에 들어갈 한자에 ○표 하세요.

☐일 상상이 현실이 된다면 어떨까?

大 (萬)

2 다음 밑줄 친 한자의 음(소리)을 쓰세요.

글짓기 大회가 열렸습니다. → (대)

3 다음 그림이 나타내는 한자를 찾아 선으로 이으세요.

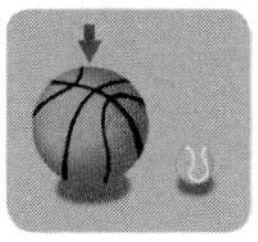

· 小

· 大

4 보기 와 같이 다음 한자의 뜻과 음(소리)을 쓰세요.

보기: 大 → 큰 대

• 小 → (작을 소)

5 다음 그림이 나타내는 한자어를 찾아 선으로 이으세요.

· 弱小 (약소)

· 小食 (소식)

6 다음 밑줄 친 음(소리)에 해당하는 한자를 보기 에서 찾아 그 번호를 쓰세요.

보기: ① 小 ② 長 ③ 寸

• 진선이는 집안의 장남으로 태어났습니다. → (②)

7 다음 밑줄 친 한자의 음(소리)을 쓰세요.

스마트폰을 長시간 사용하지 않도록 노력해야 합니다.

→ (장)

8 다음 밑줄 친 음(소리)에 해당하는 한자를 보기 에서 찾아 그 번호를 쓰세요.

보기: ① 九 ② 寸 ③ 長

• 외삼촌과 함께 나들이를 했습니다. → (②)

3주 특강

3주 특강 생각을 키워요 ❶

창의·융합·코딩

정답 15쪽

국어+한문 다음 만화를 읽고, 성어의 뜻을 생각해 보세요.

大 器 晚 成

큰 대 그릇 기 늦을 만 이룰 성

학예회 준비는 잘되고 있니?
응. 난 합창 연습을 하고 있어. 넌 무엇을 준비하고 있어?
난 연극을 준비하고 있어.
그렇구나. 연극 연습은 잘되니? 난 합창에 소질이 없나 봐.
왜 그런 생각이 들었어?
합창 연습을 하는데 나 혼자 박자를 틀렸거든.
박자 틀렸잖아. 하늘아!
너 박치구나!
악보집
힘을 내. 대기만성이라는 말이 있잖아.
맞아.
열심히 노력하면 좀 늦더라도 합창을 잘하게 될 거야.
힘이 되는 말을 해 줘서 고마워! 합창 연습을 해 볼까?
악보집
연습하다가 어딜 가는 거야?
대기만성이라 했으니 우선 친구들이랑 놀러 가려고. 합창은 나중에 잘하게 될 거야.
에휴. 노력을 해야 이루어지지.

◆ 성어의 뜻을 살펴보며 빈칸에 알맞은 한자를 채우세요.

대	기	만	성
大	器	晚	成

→ '큰 그릇은 늦게 이루어진다.'라는 뜻으로, 서두르지 않고 노력하면 늦게라도 뜻을 이룰 수 있음을 이르는 말

130~131쪽

3주 특강

3주 특강 생각을 키워요 ②

창의·융합·코딩

◐ 정답 16쪽

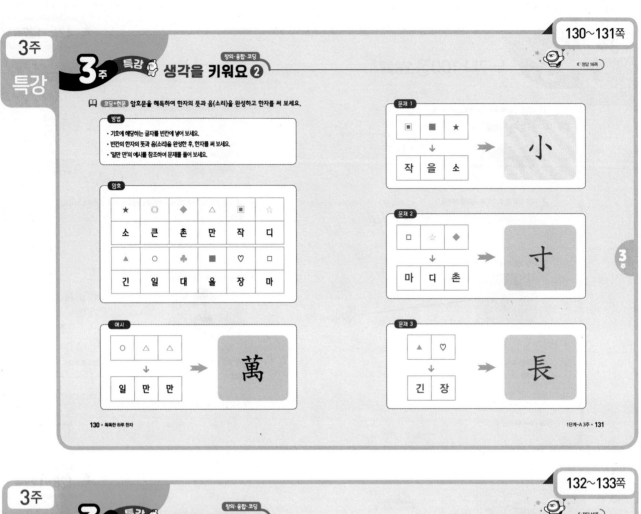

코딩+한문 암호문을 해독하여 한자의 뜻과 음(소리)을 완성하고 한자를 써 보세요.

방법
- 기호에 해당하는 글자를 빈칸에 넣어 보세요.
- 빈칸의 한자의 뜻과 음(소리)을 완성한 후, 한자를 써 보세요.
- '일만 만'의 예시를 참조하여 문제를 풀어 보세요.

암호

★	◎	◆	△	▣	☆
소	큰	촌	만	작	디
▲	○	♣	■	♡	□
긴	일	대	을	장	마

예시

○	△	△
일	만	만

→ 萬

문제 1

▣	■	★
작	을	소

→ 小

문제 2

□	☆	◆
마	디	촌

→ 寸

문제 3

▲	♡
긴	장

→ 長

132~133쪽

3주 특강

3주 특강 생각을 키워요 ③

창의·융합·코딩

◐ 정답 16쪽

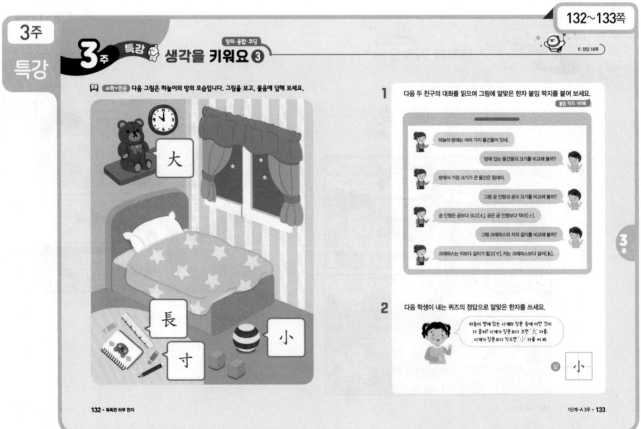

수학+한문 다음 그림은 하늘이의 방의 모습입니다. 그림을 보고, 물음에 답해 보세요.

大
長
寸
小

1 다음 두 친구의 대화를 읽으며 그림에 알맞은 한자 붙임 딱지를 붙여 보세요.

붙임 딱지 185쪽

하늘이 방에는 여러 가지 물건들이 있네.
방에 있는 물건들의 크기를 비교해 볼까?
방에서 가장 크기가 큰 물건은 침대야.
그럼 곰 인형과 공의 크기를 비교해 볼까?
곰 인형은 공보다 크고[大], 공은 곰 인형보다 작아[小].
그럼 크레파스와 자의 길이를 비교해 볼까?
크레파스는 자보다 길이가 짧고[寸], 자는 크레파스보다 길어[長].

2 다음 학생이 내는 퀴즈의 정답으로 알맞은 한자를 쓰세요.

하늘이 방에 있는 시계와 창문 중에 어떤 것이 더 클까? 시계가 창문보다 크면 '大' 자를, 시계가 창문보다 작으면 '小' 자를 써 봐.

답 小

4주 도입

4주에는 무엇을 공부할까? ❷

정답 17쪽

이번 주에 배울 한자들이 그림 속에 숨어 있어요. 보기를 참고해서 한자를 찾아보세요.

보기: 東 동녘 동 西 서녘 서 南 남녘 남 北 북녘 북 中 가운데 중

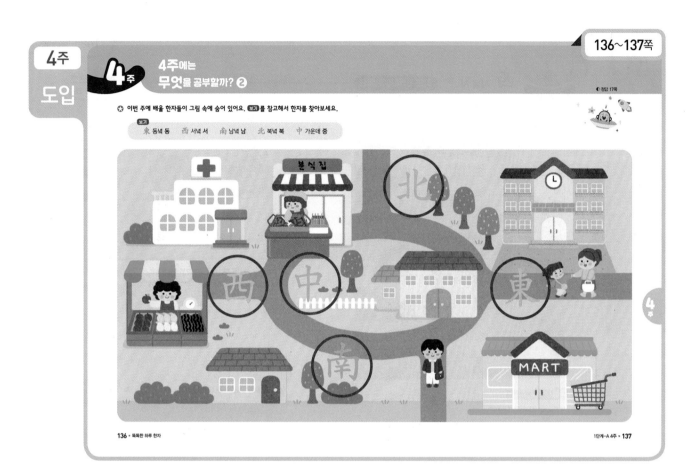

분식집
北
西
中
東
南
MART

4주 1일

1일 방향 한자 東 동녘 동

기초 실력을 키워요

정답 17쪽

기초 집중 연습

1 다음 과녁에 제시된 한자 중에서 '동녘'을 뜻하는 한자를 찾아 ○표 하세요.

萬
長
東

아하! 이렇게 푸는구나!
해가 떠오르는 쪽을 뜻하는 글자를 찾아보세요.

어휘 확인

2 낱말판에서 설명에 해당하는 낱말을 찾아 ○표 하세요.

동	해	만
대	소	촌
문	장	양

설명: 서울 동쪽의 큰 성문

급수 문제

3 보기와 같이 다음 한자의 뜻과 음(소리)을 쓰세요.

보기: 萬 → 일만 만

• 東 → (동녘 동)

급수 문제

4 다음 밑줄 친 음(소리)에 해당하는 한자를 보기에서 찾아 그 번호를 쓰세요.

보기: ① 月 ② 水 ③ 東

• 해가 떠오르는 쪽이 동방입니다. → (③)

148~149쪽

4주 2일

2일 방향 한자 西 서녘 서 **기초 실력을 키워요**

정답 18쪽

기초 집중 연습

1 친구들이 동물원에 가려고 합니다. 길에 적힌 한자 중에서 '서녘 서'에 ○표를 하여 친구들이 동물원에 도착할 수 있게 해 보세요.

'서녘 서' 글자를 4개 찾으면 동물원에 도착할 수 있어.
十 二 五 大 寸
萬 二 四 東
四 五 東 長
西 三 西 小
八 西 二 五 萬
九 十 西
출발
五 八 九

아하! 이렇게 푸는구나

'서녘 서'는 새가 둥지에 앉은 모양을 본뜬 글자예요.

어휘 확인

2 다음에서 '동쪽과 서쪽'을 뜻하는 낱말을 찾아 ○표 하세요.

동서
서산
서해

급수 유형

3 다음 한자의 뜻을 보기 에서 찾아 그 번호를 쓰세요.

보기 ① 마디 ② 서녘 ③ 아홉

• 西 → (②)

급수 유형

4 다음 밑줄 친 한자의 음(소리)을 쓰세요.

동<u>西</u>로 난 도로에 자동차가 달립니다. → (서)

148 • 똑똑한 하루 한자 1단계-A 4주 • 149

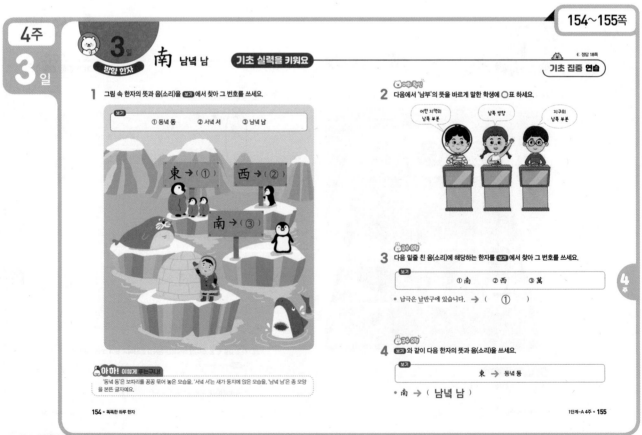

154~155쪽

4주 3일

3일 방향 한자 南 남녘 남 **기초 실력을 키워요**

정답 18쪽

기초 집중 연습

1 그림 속 한자의 뜻과 음(소리)을 보기 에서 찾아 그 번호를 쓰세요.

보기 ① 동녘 동 ② 서녘 서 ③ 남녘 남

東 → (①)
西 → (②)
南 → (③)

아하! 이렇게 푸는구나

'동녘 동'은 보따리를 꽁꽁 묶어 놓은 모습을, '서녘 서'는 새가 둥지에 앉은 모습을, '남녘 남'은 종 모양을 본뜬 글자예요.

어휘 확인

2 다음에서 '남부'의 뜻을 바르게 말한 학생에 ○표 하세요.

어떤 지역의 남쪽 부분
남쪽 방향
지구의 남쪽 부분

급수 유형

3 다음 밑줄 친 음(소리)에 해당하는 한자를 보기 에서 찾아 그 번호를 쓰세요.

보기 ① 南 ② 西 ③ 萬

• 남극은 <u>남</u>반구에 있습니다. → (①)

급수 유형

4 보기 와 같이 다음 한자의 뜻과 음(소리)을 쓰세요.

보기 東 → 동녘 동

• 南 → (남녘 남)

154 • 똑똑한 하루 한자 1단계-A 4주 • 155

160~161쪽

4주 4일

4일 방향 한자

北 북녘 북 / 달아날 배

기초 실력을 키워요

정답 19쪽

기초 집중 연습

1 사다리를 타고 내려가 한자의 음(소리)에 알맞은 글자를 선으로 연결해 보세요.

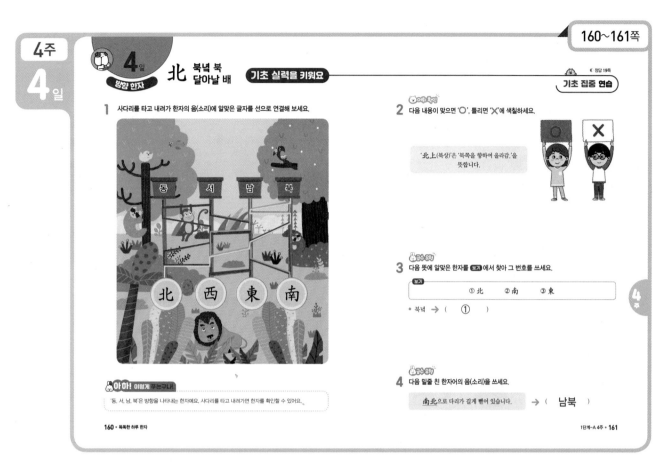

동
서
남
북
北
西
東
南

아하! 이렇게 푸는구나!

'동, 서, 남, 북'은 방향을 나타내는 한자예요. 사다리를 타고 내려가면 한자를 확인할 수 있어요.

2 다음 내용이 맞으면 'O', 틀리면 'X'에 색칠하세요.

'北上(북상)'은 '북쪽을 향하여 올라감.'을 뜻합니다.

3 다음 뜻에 알맞은 한자를 보기에서 찾아 그 번호를 쓰세요.

보기: ① 北 ② 南 ③ 東

• 북녘 → (①)

4 다음 밑줄 친 한자어의 음(소리)을 쓰세요.

南北으로 다리가 길게 뻗어 있습니다. → (남북)

166~167쪽

4주 5일

5일 방향 한자

中 가운데 중

기초 실력을 키워요

정답 19쪽

기초 집중 연습

1 친구들이 물고기를 잡고 있습니다. 물고기를 잡기 위해서는 '가운데 중' 자가 쓰인 곳에 낚시 바늘을 던져야 합니다. 그림에서 '가운데 중' 자를 찾아 색칠해 보세요.

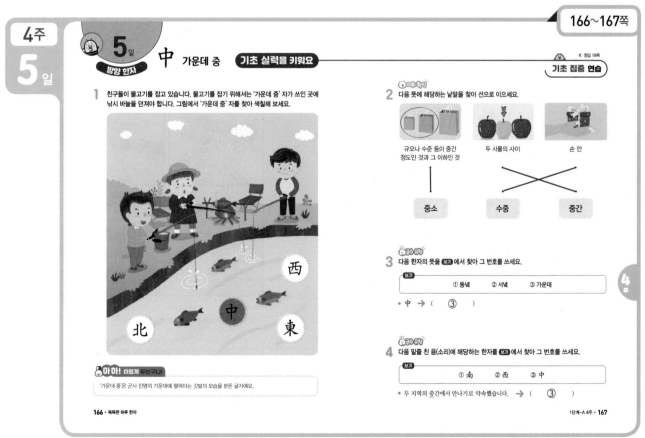

西
中
北
東

아하! 이렇게 푸는구나!

'가운데 중'은 군사 진영의 가운데에 펄럭이는 깃발의 모습을 본뜬 글자예요.

2 다음 뜻에 해당하는 낱말을 찾아 선으로 이으세요.

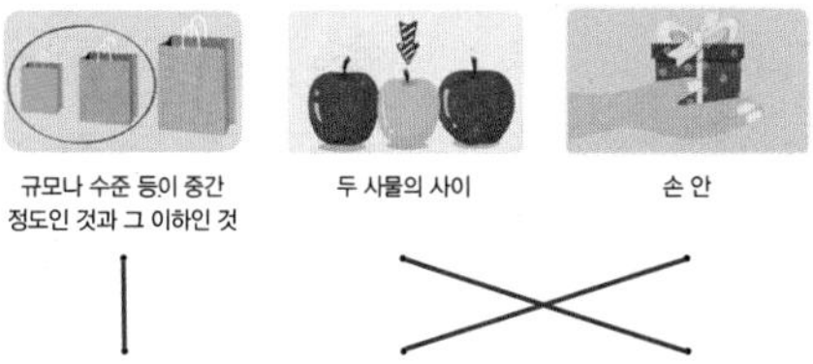

규모나 수준 등이 중간 정도인 것과 그 이하인 것	두 사물의 사이	손 안
중소	수중	중간

3 다음 한자의 뜻을 보기에서 찾아 그 번호를 쓰세요.

보기: ① 동녘 ② 서녘 ③ 가운데

• 中 → (③)

4 다음 밑줄 친 음(소리)에 해당하는 한자를 보기에서 찾아 그 번호를 쓰세요.

보기: ① 南 ② 西 ③ 中

• 두 지역의 중간에서 만나기로 약속했습니다. → (③)

똑똑한 하루 한자

정답

168~169쪽

4주 TEST

4주 누구나 100점 TEST

정답 20쪽 맞은 개수 /8개

1 다음 밑줄 친 한자의 음(소리)을 쓰세요.

東해로 휴가를 떠났습니다.

→ (동)

2 다음 ☐ 안에 들어갈 한자에 ○표 하세요.

☐산으로 해가 지고 있습니다.

中 (西)

3 보기 와 같이 다음 한자의 뜻과 음(소리)을 쓰세요.

보기 東 → 동녘 동

• 西 → (서녘 서)

4 다음에서 '북녘'을 뜻하는 한자를 찾아 색칠하세요.

北(색칠) 東 西

5 다음 그림이 나타내는 한자어를 찾아 선으로 이으세요.

東門 (동문)

中間 (중간) ← 그림과 연결

6 다음 한자의 음(소리)을 보기 에서 찾아 그 번호를 쓰세요.

보기 ① 서 ② 남 ③ 북

• 南 → (②)

7 다음 밑줄 친 말에 해당하는 한자를 보기 에서 찾아 그 번호를 쓰세요.

보기 ① 東 ② 西 ③ 南

• 태풍이 남쪽을 통과하여 북상하고 있습니다. → (③)

8 다음 밑줄 친 한자의 음(소리)을 쓰세요.

용돈을 모두 써서 수中에 돈이 없습니다. → (중)

170~171쪽

4주 특강

4주 특강 창의·융합·코딩 생각을 키워요 ❶

정답 20쪽

국어+한문 다음 만화를 읽고, 성어의 뜻을 생각해 보세요.

東 問 西 答

동녘 동 물을 문 서녘 서 대답 답

이번 주말에 여행 가자.
네, 좋아요! 그런데 학교 숙제가 있어요.
언제까지 해야 하는 숙제니?
다음 주 월요일까지 해야 해요.
걱정하지 마. 아빠가 네 숙제 주말 전까지 마칠 수 있게 도와줄게.
우아, 아빠 최고!
짠
금요일 저녁
아빠! 숙제 도와주세요.
여기 있던 아빠 여행 가방이……

아빠! 정말 동문서답이라더니.
울먹
울먹
엉뚱한 대답을 하시다니 실망이에요.
미안하구나.
흑
흑
아빠가 바빠서 못 도와줬네. 어떤 숙제니?
식물 관찰 일기를 일주일 동안 작성하는 숙제였어요.
괜찮아. 지금부터 차근차근 시작해 보자!
헉! 숙제가 어려운데? 큰일이군.

◆ 성어의 뜻을 살펴보며 빈칸에 알맞은 한자를 채우세요.

동	문	서	답
東	問	西	答

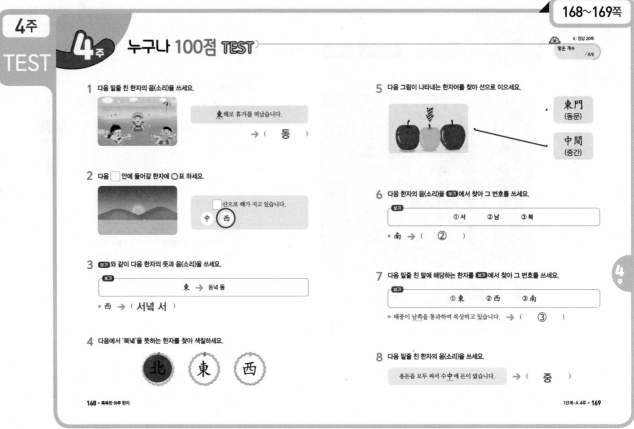

→ '동쪽을 묻는데 서쪽을 대답한다.'라는 뜻으로, 묻는 질문과 전혀 상관없는 엉뚱한 방향으로 대답함을 이르는 말

4주 특강

172~173쪽

4주 특강 생각을 키워요 ❷

창의·융합·코딩

◐ 정답 21쪽

코딩+한문 명령어를 사용하여 토끼가 과일을 먹을 수 있는 길을 찾아보세요.

명령어

- 東 오른쪽으로 이동하기
- 西 왼쪽으로 이동하기
- 南 아래로 이동하기
- 北 위로 이동하기

규칙

- '토끼'만 이동시킬 수 있습니다.
- 한 번에 한 칸만 이동할 수 있습니다.
- 색칠이 되어 있는 칸으로는 이동할 수 없습니다.
- 가장 빠른 길을 찾도록 노력해 보세요.

예시를 참고하여 제시된 문제를 풀어 봅시다.

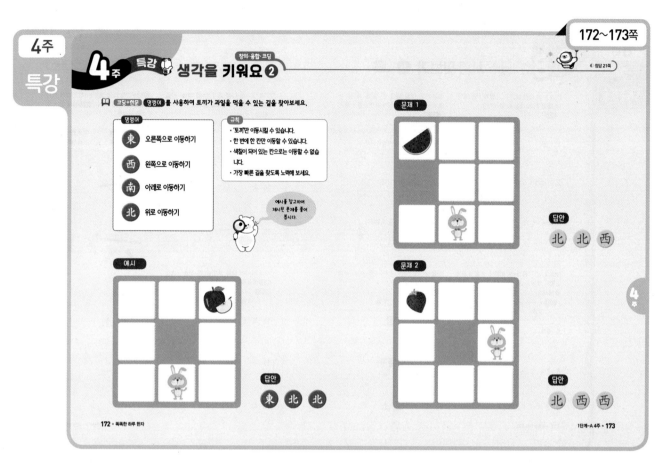

예시

답안: 東 北 北

문제 1

답안: 北 北 西

문제 2

답안: 北 西 西

4주 특강

174~175쪽

4주 특강 생각을 키워요 ❸

창의·융합·코딩

◐ 정답 21쪽

사회+한문 하늘이는 다음과 같이 동네 지도를 그렸습니다. 지도를 보고, 다음 물음에 답해 보세요.

北
문구점
119
시청
西
東
나
서점
南

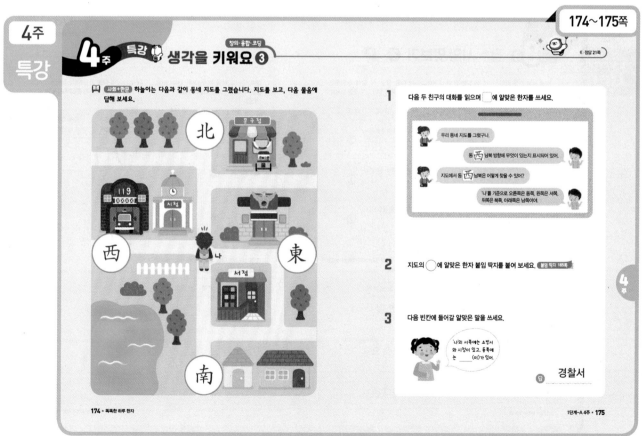

1 다음 두 친구의 대화를 읽으며 ☐에 알맞은 한자를 쓰세요.

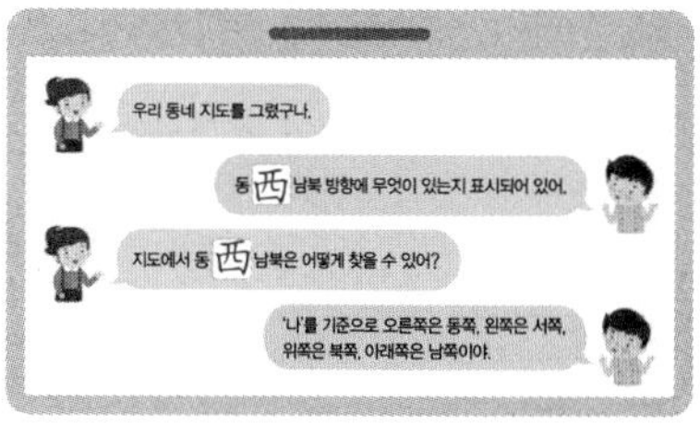

우리 동네 지도를 그렸구나.
동 西 남북 방향에 무엇이 있는지 표시되어 있어.
지도에서 동 西 남북은 어떻게 찾을 수 있어?
'나'를 기준으로 오른쪽은 동쪽, 왼쪽은 서쪽, 위쪽은 북쪽, 아래쪽은 남쪽이야.

2 지도의 ◯에 알맞은 한자 붙임 딱지를 붙여 보세요. 붙임 딱지 185쪽

3 다음 빈칸에 들어갈 알맞은 말을 쓰세요.

'나'의 서쪽에는 소방서와 시청이 있고, 동쪽에는 _____(이)가 있어.

답 경찰서

정답

176~177쪽

8급 급수 시험

8급 급수 시험 맛보기 1회

정답 22쪽

[문제 1~3] 다음 글의 [ ] 안에 있는 漢字한자의 讀音(독음: 읽는 소리)을 쓰세요.

보기: 日 → 일

1 [三] (삼)

2 [寸]과 함께 (촌)

3 곱셈 구[九]를 공부했습니다. (구)

[문제 4~6] 다음 訓(훈: 뜻)이나 音(음: 소리)에 알맞은 漢字한자를 보기에서 찾아 그 번호를 쓰세요.

보기: ①南 ②北 ③七

4 북녘 (②)

5 남녘 (①)

6 칠 (③)

[문제 7~9] 다음 밑줄 친 말에 해당하는 漢字한자를 보기에서 찾아 그 번호를 쓰세요.

보기: ①二 ②八 ③四

7 행사는 두 시부터 시작합니다. (①)

8 우리 식구는 네 명입니다. (③)

9 거미의 다리는 여덟 개입니다. (②)

[문제 10~12] 다음 漢字한자의 訓(훈: 뜻)과 音(음: 소리)을 쓰세요.

보기: 日 → 날 일

10 長 (긴 장)

11 中 (가운데 중)

12 小 (작을 소)

[문제 13~15] 다음 漢字한자의 訓(훈: 뜻)을 보기에서 찾아 그 번호를 쓰세요.

보기: ①열 ②동쪽 ③크다

13 大 (③)

14 東 (②)

15 十 (①)

[문제 16~18] 다음 漢字한자의 音(음: 소리)을 보기에서 찾아 그 번호를 쓰세요.

보기: ①서 ②일 ③만

16 萬 (③)

17 一 (②)

18 西 (①)

[문제 19~20] 다음 漢字한자의 진하게 표시된 획은 몇 번째 쓰는지 보기에서 찾아 그 번호를 쓰세요.

보기: ①첫 번째 ②두 번째 ③세 번째 ④네 번째

19 五 (④)

20 六 (③)

176 • 똑똑한 하루 한자 / 1단계-A 급수 시험 맛보기 • 177

178~179쪽

8급 급수 시험

8급 급수 시험 맛보기 2회

정답 22쪽

[문제 1~3] 다음 글의 [ ] 안에 있는 漢字한자의 讀音(독음: 읽는 소리)을 쓰세요.

보기: 日 → 일

1 [五]월에 (오)

2 [南]쪽 바다에 놀러 가서 (남)

3 [小]형 보트를 탔습니다. (소)

[문제 4~6] 다음 訓(훈: 뜻)이나 音(음: 소리)에 알맞은 漢字한자를 보기에서 찾아 그 번호를 쓰세요.

보기: ①十 ②六 ③大

4 여섯 (②)

5 대 (③)

6 십 (①)

[문제 7~9] 다음 밑줄 친 말에 해당하는 漢字한자를 보기에서 찾아 그 번호를 쓰세요.

보기: ①萬 ②九 ③三

7 이 책을 세 번 읽었습니다. (③)

8 용돈으로 만 원을 받았습니다. (①)

9 우리 형은 아홉 살입니다. (②)

[문제 10~12] 다음 漢字한자의 訓(훈: 뜻)과 音(음: 소리)을 쓰세요.

보기: 日 → 날 일

10 一 (한 일)

11 五 (다섯 오)

12 寸 (마디 촌)

[문제 13~15] 다음 漢字한자의 訓(훈: 뜻)을 보기에서 찾아 그 번호를 쓰세요.

보기: ①남녘 ②일곱 ③서녘

13 南 (①)

14 七 (②)

15 西 (③)

[문제 16~18] 다음 漢字한자의 音(음: 소리)을 보기에서 찾아 그 번호를 쓰세요.

보기: ①장 ②이 ③팔

16 八 (③)

17 長 (①)

18 二 (②)

[문제 19~20] 다음 漢字한자의 진하게 표시된 획은 몇 번째 쓰는지 보기에서 찾아 그 번호를 쓰세요.

보기: ①첫 번째 ②두 번째 ③세 번째 ④네 번째

19 四 (③)

20 北 (②)

178 • 똑똑한 하루 한자 / 1단계-A 급수 시험 맛보기 • 179

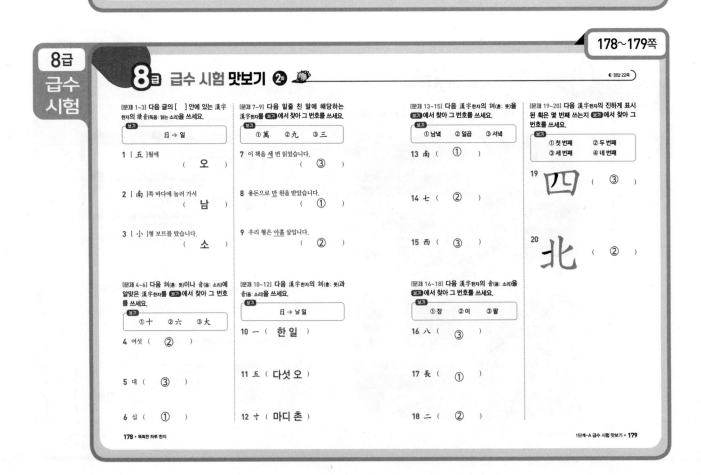

memo

memo

◀ 정답은 이안에 있어!